每日一字習古義今意

漢字／古義今意

每日一字【第六輯】

自閱讀的樂趣中學習正確的文字用法，
從學生到一般讀者均可受用無窮，何樂而不為？

曾彬儒——著

普林特印刷公司—出版

漢字古義今意 每日一字【第六輯】

自序

余四川仁壽縣人，幼承庭訓，三歲起背誦百家姓及唐詩，嘗過關吃飯，未過罰站；慈母護兒，屢遭責難；嚴父之威，可見一斑！

祖父是私塾先生，傳道、授業、解惑於農村，束脩微薄，且常斷續，家中饔飧不繼，至為清寒。祖父頗具讀書人氣概，如肯向學，來者不拒，誠「有教無類」之昇華也！

祖母讀過兩年私塾，略識之無，常為無米炊，田裡生啥吃啥，多以地瓜、豌豆、胡豆等為主要糧食；典型的賢妻良母，相夫教子，知矩達理。育有九子一女，父親排行老二。食之者眾，生之者寡，鄉語云：「兒多母苦。」然從未埋怨祖父「百無一用是書生」。

父親年少從軍，投入抗戰。余四歲隨父母來台，居家甫定，父卻積勞成疾，身罹重病，雖典當所有衣飾，仍回天乏術。辭世時，余僅七歲，下有二妹，微薄撫恤常寅吃卯糧，牽蘿補屋，家中篋盡囊空，捉襟見肘，然母親仍堅苦刻厲，放下悲傷，以刺繡枕頭、被面等女紅維持家計，一針一線中藏有多少母愛！

受父親啓蒙影響，余自幼酷愛中國文學，兒時無誤樂，惟讀古籍排遣，欲云「宅男」，余自兒時始也。

大學時期，沒錢買書，輒以投稿獲酬，俾添新籍。不數年，拙作已散見各大副刊也。畢業後，因專注工作，再者，文章是愈寫愈懼，蓋「書到用時方恨少」，故而未再「煮字」，改以涉獵典籍為主也。

退休後，以書法、繪畫自娛，與孫輩閒話間，常感渠等對成語及典故等極為陌生，遑論詳其出處。電視主播常唸白字，字幕更常誤植，與原義南轅北轍，除令人啼笑皆非外，更深以為憂。

邇來科技發達，資訊飛騰，人人電腦一部，個個手機一支，昔之筆墨，已入廢墟。嘗觀日、韓書法，習之者日眾，其意境亦愈深。中國書法乃文字優美的表徵，舉世無堪比擬，莘莘學子卻棄如敝屣，不數年，學習書法恐赴他國取經，「禮失求諸野」矣，余心有戚戚焉！

中國文字是中華文化的根源，自甲骨文以降，每字演進均為歷史軌跡，身為炎黃子孫，不能不知其然。每日一字，可瞭解祖先造字的智慧，字源的起始與變化，更可從中淺讀詩經、易經、論語、詩詞、成語典故等。

子曰：「小子何莫學夫詩？詩可以興，可以觀，可以群，可以怨；邇之事父，遠之事君，多識於鳥獸草木之名。」真乃至理名言也！何不起而行，每日讀一字？

本書以簡單的現代語言，解釋深奧難懂的古文古義，旨在提高讀者對中國文學的興趣，提昇中文程度，更冀祈勿使中華文化之精髓斷層於吾輩之手。因每字篇幅有限，只能淺談，未予深研，嗣後有機，當另闢專篇，以適進階者也！

余才疏學淺，綆短汲深，註釋引喻必有未盡之處，加之付梓匆匆，難免掛一漏萬，未臻完善之處，尚祈方家正之！

曾彬儒　謹識

行楷

金文

小篆

古文

行書

金文：左下方是個「田」字，表形，，右上方是個「每」字，表聲，是計算土地面積的單位，是個形聲字。

小篆：由金文演變而來，右邊的「每」藝術化多了。

古文：中間的十字形是田埂，用以測田之大小，左田右久，「久」表聲。

楷書：由古文筆法演變而來。

簡化字：「亩」取楷書左半邊以簡化之。

◆古義

《說文》：「畝，本作晦，六尺爲步，步百爲畝，秦制二百四十步爲畝。」秦時以步「度」面積之大小，其畝較小，至宋時，「畝」之面積已有變化。「宋．程頤」：「古者，百畝止當今之四十畝，今之百畝，當古之二百五十畝。」而今者，一公畝乃一百平方公尺。「詩經．小雅．信南山」：「我疆我理，南東其畝。」畫定田畝，我開始耕作，田壠縱橫交錯。「詩經．小雅．甫田」：「今適南畝，或耘或耔。」今年我去南邊的田壠查看，大家都在除草、培土。故知「畝」之本義爲「田壠」，亦用於「步度」其面積。「孟子．梁惠王上」：「五畝之宅，樹之以桑，五十者可以衣帛矣！」家裡有五畝地，全都種上桑樹，則五十歲以上的人都可以穿上絲質衣服了！

◆今意

今之土地仍多用「畝」作為計算標準的，尤其民間仍習慣用「畝」，如同用「斤」、「兩」、「丈」、「尺」等，而公制則統用「公畝」，一公畝等於一百平方公尺，亦等於一平方公丈，亦等於 0.01 公頃。現在「畝」的種類較古時更為複雜，有「市畝」、「舊畝」、「日畝」、「英畝」等，換算標準各不相同，只有查看對照表才能精準知道換算後各畝的畝數，古易今難也！

一個好妻子，一双小兒女，一間小茅屋，一畝三分地，其樂融融也！小老百姓的要求不高啊！

行楷

金文

小篆

行書

金文：左邊是一層一層的階梯之形，是個「阜」字，右邊是一層又一層的土丘，丘下是個土，土上有丘，愈堆愈高，是個會意字。

小篆：左為「阜」，右亦為一層層的土丘。

楷書：由小篆字形演變而來，仍有古義。

簡化字：「陆」右邊的土丘用「土山」連寫，以簡化之。

◆古義

「爾雅．釋地」：「高平曰陸。」「陸」是高於水平面之土地的總稱。「詩經．豳風．九罭（音玉）」：「鴻飛遵陸，公歸不復，於女信宿。」「公」指周公，「女」即「汝」，「信宿」是兩晚，大雁沿著陸地飛行，公爺您東征將返，不再回來，願您多住兩宿（晚）。陸地有山有丘，有起有伏，故引申為「跳躍」，「莊子．馬蹄」：「翹足而陸，此馬之真性也。」腳翹起來跳躍，是馬真正的本性。秦時稱廣東、廣西兩粵之地為「陸梁」，蓋因嶺南之人，多處山陸，其性強梁，故稱「陸梁」。「強梁」是指「強悍」。亦通「睦」，厚也、和也。亦通「娽」，「陸陸」是隨從的樣子，亦即「娽娽」、「碌碌」也。亦借用為數目大寫的「陸（六）」。「陸離」有「參差」、「長」、「美玉」等三義，但「光怪陸離」卻指極其怪異離奇之事。

◆今意

「陸」指高於水平面的廣大土地，其古義至今未變。「陸地」之對義為「海洋」，地球之東半球歐、亞、非、澳等諸洲文明較早，稱舊大陸，又稱東大陸；西半球南北美洲等洲開闢較遲，稱新大陸，又稱西大陸。中國地大物博，人口眾多，亦稱中國大陸，簡稱「大陸」。「陸續」是繼續不斷，「斷續」則時斷時續也。現在買不起房子的人稱「無殼蝸牛」，古亦有之，「南史．張融傳」：「宋武帝劉裕問張融住處，答以：陸處無屋，舟居無水。蓋其牽小船於岸住其上也，後人以「陸無屋，水無舟」稱無安身處。」

行楷

甲骨文

金文

小篆

行書

甲骨文：左邊是個人形，人下是腳趾形，右邊是「阜」，是階梯形，表示高山，人攀登高山，是個會意字。

金文：左阜下土，右上是山形，下為人形，仍為人登高山之義。

小篆：由金文演變而來，其義亦同。

楷書：由小篆字形轉換而來。

陵之簡化字與繁體字相同

◆古義

「爾雅·釋地」：「大阜曰陵。」高大的土山也。「詩經·小雅，天保」：「如山如阜，如岡如陵。」「阜」是土山，「陵」是大土山，有如高山，有如土山，有如山岡，有如山陵。故知「陵」之本義為「大土山」。「玉篇」：「陵，冢也。」「水經·渭水注」：「秦名天子冢曰山，漢曰陵。」「陵寢」是指天子陵園之廟寢，用以四季祭祀之用。因其高，引申為居高陵下之欺侮，侵犯。「禮記·中庸」：「在上位，不陵下。」「陵」亦作「凌」，如「欺凌」，「左傳·昭公元年」：「無禮而好陵（凌）人」。亦引申為「逾越」。「禮記·檀弓」：「故喪事雖遽，不陵（凌）節。」不能因喪事倉促而逾越了應守的禮數和節操。「陵」亦有「淬礪」之義，如「陵其兵刃」。

◆今意

「陵」之本義至今未變，但用白話文時，則常以「大山」、「高山」表之。古時帝王的陵墓稱「陵園」，地位崇高者的墓園稱「陵墓」，如「明十三陵」是指明朝的十三個皇帝的陵墓，均在北京。而近代有國父孫中山先生（大陸稱革命先行者）的「中山陵」，在南京紫金山麓。故「陵墓」多用於有身分地位者，一般人不宜用之！古「陵」與「凌」通，欺陵（凌）、霸陵（凌）均通用，而今已漸分開，譬如「地方惡霸常欺凌百姓」，「學校常有學長霸凌學弟」如仍用「陵」，雖沒錯，但總覺得有點怪！

行楷

甲骨文

金文

小篆

行書

甲骨文：是一條魚的形狀，上頭下尾，中間的魚身、魚鱗、魚鰭等均清晰可見，是魚的正面形像，是個象形字。

金文：亦是一條正面的魚，更象形了些。

小篆：由金文演變而來，將形象筆法化。

楷書：由小篆字形演變而來，最下方的魚尾變成四個小點，仍指魚尾也，並非「火」字。

簡化字：「鱼」以行書、草書的筆法將四點水用一橫劃代替。

◆古義

《說文》：「魚，水蟲也，象形，與燕尾相似。」「徐鍇」曰：「下火像尾而已，非水火之火。」故「魚」非屬火部。「魚」與人類飲食息息相關，魚皮可製箭袋。「詩經．小雅．采薇」：「四牡翼翼，象弭魚服。」「翼翼」指訓練精良有威儀，拉著戰車的四匹公馬，精神威武，士兵持有象牙裝飾的弓，魚皮製成的箭袋。「魚目」似珠而非珠，不肖者常以僞亂眞稱「魚目混珠」。魚遇水則生，離水則亡，故「魚水相逢」是指兩相得也。引申爲「君臣」、「夫婦」之關係。「三國志．蜀志．諸葛亮傳」：『先主與亮情好日密，關羽、張飛等不悅，先主曰：「孤之有孔明，猶魚之有水也。」』此爲「君臣相得」。古詩有云：「浩浩者水，育育者魚。」以魚水比喻夫妻情深。

◆今意

「魚」是水生動物之一，其本意至今未變。「魚肉」有三種解釋：一、無力抵抗，如魚肉般任人宰割，「人為刀俎，我為魚肉也。」二、轉為動詞的欺凌他人，如「魚肉鄉民」。三、純名詞的食物，如「雞、鴨、魚肉」，「魚」亦指書信，「漢．蔡邕．飲馬長城窟行」：「客從遠方來，遺我雙鯉魚。」「雁」是送信的青鳥，「魚雁往返」是書信往來，「魚沉雁渺」是指音訊全無。「魚目混珠」是以假冒真，不肖商人常用以欺騙消費，為社會大眾所不齒！假貨還好，如果是有毒商品，定遭天譴！

行楷

甲骨文

金文

小篆

行書

甲骨文：上半部左右各是一隻指尖朝下的手爪，爪下是個除草用的大蚌殼，「辰」也，表聲，日出為「晨」，「日出而作」亦表意，是個會意兼形聲字。

金文：上部的「爪」簡化了些，下部的「辰」（大蚌殼）是金文的寫法，其義不變。

小篆：上部的「爪」變成「日」字，「辰」字由象形變字形。

楷書：由小篆字形轉換而來。

晨之簡化字與繁體字相同。

◆古義

《說文》：「晨，早昧爽也。」「晨」指天明，「昧」是天將亮而未亮，「爽」即明也，「昧爽」是指「早旦」，即雞鳴之後，天未亮而將亮之時也！「尚書．牧誓」：「牝雞無晨。牝雞之晨，惟家之索。」雄雞司報曉之責於晨，非母雞之責，「牝雞司晨」比喻婦人專權，「索」是「離散」，婦人干政必陷於亂也。故由甲骨文得知，晨之本義為「晨耕」也。「淮南子．天文」：「日出於于暘谷，浴于咸池，拂手扶桑，是謂晨明。」「暘（音楊）」指光明，日出於谷而天下明也，「咸池」指日浴之處，「扶桑」是我國對日本的別稱，「日」拂曙於東方也！「晨門」是指掌管門禁啓閉者。「論語．憲問」：「子路宿於石門，晨門曰：奚自？」子路要到石門住宿，管理門禁的人問他：你從哪兒來的？這個「晨門」是個職稱，晨啓夜閉之責也！

◆今意

我國以農立國，日出而作，日入而息，天一亮，就是開始工作之時，「晉．陶淵明．歸田園居」：「晨興理荒穢，帶月荷鋤歸。」這農活可是從早幹到晚的啦！語云：「一年之計在於春，一日之計在於晨。」不論讀書、做事、成家、立業等都要提早有個想法，認真規劃，且莫起床不知今日要幹啥？甚或睡到日上三竿，太陽都曬到屁股，還不知起床！漢．匡衡鑿壁偷光而讀，今太陽已昇，何不讀書？

杜甫詩：「欲覺聞晨鐘，令人發深省」。「暮鼓晨鐘」原本是佛寺中早晚報時的鐘鼓，現在則是用來警惕人們的言論，使人覺悟！」

行楷

甲骨文

金文

小篆

行書

甲骨文：上半部是個雨字，表示天空在下雨，雨下的小點是雨水凝結成的雪花，下有兩隻手在接飄落的雪花，是個會意字。

金文：上半部的橫畫代表雪層，直畫的兩個箭頭代表雨往下滴，下部是地上的積雪。

小篆：上面仍是雨字，雨下變成了「彗」字，是手拿掃帚之形，此時像用之掃雪，「彗」亦表聲，此時變成了形聲字。

楷書：由小篆簡化而來，把兩隻掃帚去掉了。

雪之簡化字與繁體字相同。

◆古義

《說文》：「雪，本作雪，凝雨。」本是小篆字形的「䨮」，楷書將其簡化為「雪」。雨水凝固後降落地面成雪。「詩經．邶風．北風」：「北風其涼，雨雪其雱。」雨是動詞，指「下」雪，「雱（音旁）」指大雪，北風吹得凜冽，雪下得好大啊！因雪為白色，故引申為白色，「南北朝．范雪．別詩」：「昔去雪如花，金來花如雪。」當年離去時，雪下得像花一般，今年再來時，花卻像雪般白。由白引申為「洗除」，「宋．岳飛．滿江紅」：「靖康恥，猶未雪。」金兵於宋欽宗靖康二年攻陷汴京，擄走欽、徽二帝之恥尚未報仇洗雪也！

◆今意

在亞熱帶地區是看不到雪的，每到冬季，都有看雪的渴望和瘋狂，台灣的合歡山、玉山，每當寒流來襲，水氣夠，都會降雪，就算量少時短，亦讓人們趨之若鶩，絡繹不絕，北方人鏟雪，南方人賞雪，沒看過雪，就不能體會蘇軾詩中的「雪泥鴻爪」、范成大詩中的「雪中送炭」，南朝謝朓在大雪之中將身上短襖送人的「雪中送襦」、孫康映雪讀書，後至御史大夫的情境！雪是零度以下的產物，要映雪讀書，就要趁早，把握當下，莫待雪融了，書還沒有讀！

「唐．劉長卿」：「柴門聞犬吠，風雪夜歸人。」風雪之中半夜趕路回家的人，恐怕沒心情欣賞雪景啦！

行楷

甲骨文

金文

小篆

行書

甲骨文：是一頭豬的形象，頭朝上，肚子朝左，尾巴在下，腹部有一「月」字，表示是一頭肥嘟嘟的肉豬，是個會意字。

金文：由甲骨文轉變而來，在右邊多了一隻手，表示用手捉住之義。

小篆：頂部與金文稍有不同。

楷書：由小篆字形拆寫而來，把「月」放在左邊，豬變成了「豕」字，原有的一隻手省略掉了。

豚之簡化字與繁體字相同

◆古義

《說文》：「豚，小豕也。」豕者，俗稱「豬」也，「小豕」即小豬也，「小爾雅」：「豬子曰豚。」「禮記・曲禮」：「凡祭宗廟之禮豚曰腯肥。」「腯（音突）肥」是祭祀用豚的專稱，豚必肥也，因係小豬，故不一定大。故知「豚」之本義為「小豬」，後引申為自稱其子之謙辭為「豚兒」。「三國志・孫權傳」：「曹公見軍伍整肅，謂然嘆曰：生子當如孫仲謀，劉景升兒子，若豚犬耳。」故亦有謙稱己子為「小犬」、「犬子」也。「河豚」是魚名，「蘇軾・春江晚景」：「竹外桃花三兩枝，春江水暖鴨先知；蔞蒿滿地蘆芽短，正是河豚欲上時。」河豚肉質鮮美，卵巢及肝臟有劇毒，故老饕有「拚死吃河豚」之說。「豚鼠」俗稱「天竺鼠」，古稱印度為「天竺」。

◆今意

現代的人仍很自謙，但把兒子稱為「小犬」、「犬子」的少之又少，或許這跟時代流行的語言有關吧！古時祭祀用肥胖的小豬，現在則用肥胖的大豬公，大多養至一千多斤，平時吃食精緻，熱時風扇侍候，比人都還享福啦！祭祀時互別苗頭，以豬公最肥最重者自豪！現代烹飪技藝進步，資訊傳遞廣遠，吃河豚已安全多了，古時廚子要先嘗，無異狀才上桌。今者，中毒者少矣！

「豚蹄穰田」語出史記・滑稽列傳，意謂種田者以小祭祀品祈禱獲得大豐收，小犧牲換大報酬之謂也！

行楷

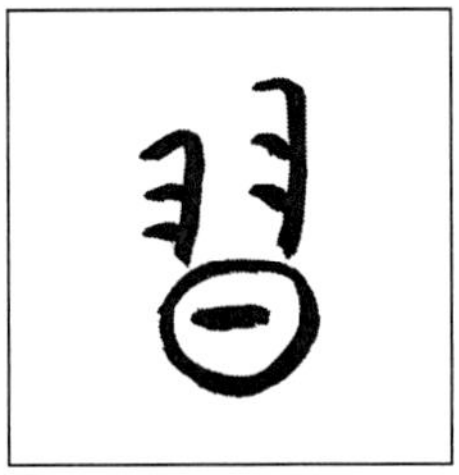

甲骨文

石文

小篆

行書

甲骨文：上半部是鳥的兩根羽毛，表示鳥的一雙翅膀，下半部是個「日」，表示太陽，鳥兒在白天展翅練習飛行之義，是個會意字。

金文：翅膀上的羽毛多了些，「日」變成了「白」字，表示白天練習飛行之義。

小篆：羽毛幾乎一樣，僅「白」字稍有不同。

楷書：上「羽」取甲骨文形，下「白」取小篆形。

簡化字：「习」：「一羽知鳥習」，故取一羽簡化字。

◆古義

《說文》：「習，數飛也。」鳥肆飛也，鳥兒多次練習飛翔，「禮記．月令」：「鷹乃學習。」指老鷹多次練習飛翔之義，故知「習」之本義為「多次練習」。「論語．學而」：「學而時習之，不亦說乎？」除了學外，還不斷練習、溫習，心中不是很高興嗎？用「習」指「多次」，故引申為「習慣」，「漢書．賈誼傳」：「少成若天性，習慣成自然。」「論語．陽貨」：「性，相近也；習，相遠也。」因習慣與學習不同而有差異！「尚書．太甲上」：「茲乃不義，習與性成。」習慣會影響性格。「習習」是微風和舒，「詩經．邶風．谷風」：「習習谷風，以陰以雨。」「谷風」是東風，和舒的東風吹來，就會轉陰、下雨，使萬物生長。

◆今意

古人從「鳥兒多次練習飛翔」中學到了人類更加要比鳥兒要懂得「學無止境」，故對所學要不斷溫習、練習，要溫故而知新也！不能僅以能「飛翔」為目標！學習之路漫長，所謂「活到老，學到老」，學習的精神要夠，方法要對，路要正確，如果一開始就偏了方向，路走岔了還不自知，很容易就「習非勝是」，錯了還自以為對啦！古人能從鳥飛悟出很多道理，今人是否能更勝古人，從治學申悟出更多「溫、良、恭、儉、讓」的神髓？拭目以待之也！

行楷

金文

小篆

行書

金文：上半部是個「辛」字，即一把刑刀直直的插下，下半部是「日」字，表示把罪犯限制在圈內，用刑刀把罪犯刻上記號，並束縛在一定的範圍內也，是個會意字。

小篆：變化極大，上半部變成「音」字，下半部變成「十」字，變成對音樂的約束或規定。

楷書：由小篆字形轉換而來。

章之簡化字與繁體字相同。

◆古義

「商君書」：「行間之治，連以伍，辨之以章，束之以令。」「章」即指符號、記號，以命令或規定約束之，故其本義為「記號」、「標誌」，並有以「規定」、「規章」等約束之義。自石鼓文以後，「章」寫成「音」與「十」，「十」為數之終也，音樂奏完為「一章」，《說文》：「章，樂盡為一章，從音從十。」「禮記．曲禮」：「讀樂章。」樂書之篇章也！由標誌引申為「榜樣」、「表率」。「詩經．大雅．抑」：「灑掃庭內，維民之章。」灑掃庭院及內室，這才是人民的表率，由「標誌」亦引申為「旌旗」、「文章」、「文彩」、「徽章」等。大臣上書與天子稱「奏章」釐訂辦事的步驟與標準的作業程序稱「章程」，「章回小說」是指分章敘事的小說，源起自唐、宋時期，古「章」與「彰」通，如「表章」、「章顯」，漢代以後則不通用矣！

◆今意

「章」至今仍用於記號者有「印章」、「圖章」，用於標誌者有「徽章」，文章有「章節」，詩歌有「詩章」。「章草」是漢時所流行的一種書法，始於元帝時史游之急就章，簡化隸書的筆法，以今之言，草書的筆法有隸書的波磔或隸意者稱之。做事要有「章法」，否則就會亂了套。形容文章、服飾或儀表的華美稱「文采」，我很喜歡一幅對聯：「文章千古事，花月一簾香。」好文章流傳千古，愈讀愈香！

「史記．高祖紀」：「漢高祖入關，與父老約法三章耳，殺人者死，傷人及盜抵罪。」本指三條約法，今者係指講好條件互相約束之規範！

行楷

甲骨文

小篆

行書

甲骨文：左邊是個祭祀時放祭品的「祭台」，右上是個敲打的棒槌，右下是一隻手形，當勝利或豐收時，設案陳列祭品，敲打樂器禱告，感謝上天之義也，是個會意字。

小篆：祭祀時要禱告，所以左邊的祭台變成了「言」字，右邊變成「殳（音殊）字」，「殳」是古時的兵器，長一丈兩尺。

楷書：由小篆字形轉換而來。

簡化字：「设」：「言」用草書的筆法書寫以簡化之。

◆古義

《說文》：「設，施陳也，從言從殳。」施設陳列也，「易經．繫辭上傳」：「聖人設卦觀象，繫辭焉而明吉凶。」「詩經．小雅．出車」：「設此旐矣，建彼旄矣。」「旐（音兆）」是繪有龜蛇圖案的旗幟，「旄（音毛）」是竿頭掛旄牛尾的旗幟，豎起龜蛇旗，掛上旄牛尾也，故知「設」之本義為「施陳」、「設立」。「前漢．文帝紀」：「高帝設之以撫四海。」「設」即「設立」、「設置」法律也。「詩經．小雅．彤弓」：「鐘鼓既設，一朝饗之。」鐘和鼓都架設好了，整個上午都在大宴賓客。「設」亦「懸擬」、「假設」之詞，「史記．灌夫傳」：「設百歲後，是屬寧有可信者乎？」是說假如百年之後，即人之死後也！「設」亦有「大」義，「周禮．冬官．考工記」：「桃氏為劍，中其莖，設其後。」把柄大易控制也！

◆今意

現代社會，不論硬體、軟體，「建設」均極重要，建設前的籌畫設計，建設中的機具設置即規劃施行都馬虎不得。古時生兒子時，在門左掛木弓，稱「設弧」，生女時則在門右掛佩巾，稱「設帨（音稅）」，後人因此稱男子生日為「懸弧令旦」，女子生日為「帨辰」，今則已甚少用之！「設計」亦常用於負面，有如「設局」般下套讓人跳！古之設備指以軍備禦敵，今則常用於生財的器具，最愉快的還是朋友「設宴」、「設饌」以邀吧！

行楷

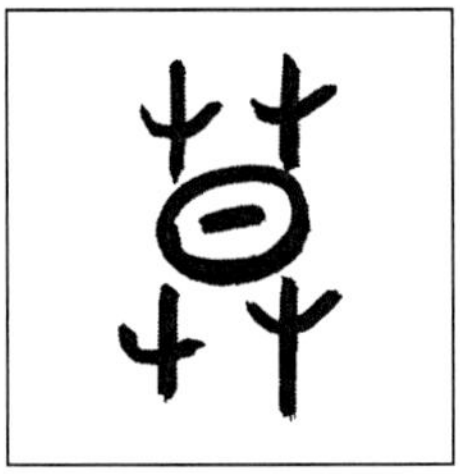

甲骨文

金文

小篆

行書

甲骨文：中間是個「日」，表示太陽，四周都是草；太陽已落入草叢中，天色已晚，「暮」時已至，是個會意字。

金文：與甲骨文相同，其筆畫較粗。

小篆：與甲骨文、金文之形義均相同。

楷書：由小篆字形演變而來，唯下面的草變成了大字，乃求筆劃之美也！

莫之簡化字與繁體字相同。

◆古義

《說文》：「莫，日且冥也。」「莫（音木）」，即日落時分也。「詩經・齊風・東方未明」：「不能辰夜，不夙則莫。」「辰夜」指「伺夜」，「夙」是「早」，「莫」是「晚」，職司夜的官不能盡職守夜，報時非早即晚。故知「莫」之本義為「日落之時」，後人借「莫」為副詞，用以表示「不可」、「沒有」等否定詞，則在「莫」下加「日」為「暮」，以別於「莫」，自此「莫」、「暮」各有其用詞也！「莫」亦為古時一種菜名。「詩經・魏風・汾沮洳」：「彼汾沮洳，言采其莫。」「汾」指山西汾河，「沮洳」指水邊濕地，「莫」是似柳葉，厚而長的菜。在那汾河邊濕地上，有人在採莫葉。「莫」之古義尚有「無」、「定」、「謀」、「大」、「勉」等，亦與「瘼」、「幕」通，如「求民之莫（瘼）」、「莫（幕）府」等。

◆今意

今之「莫」已全無古意而專用於「否定」的副詞，即「不可」、「不要」、「沒有」等，如唐詩：「打起黃鶯兒，莫教枝上啼。」「若要人不知，除非己莫為。」宋岳飛遭秦檜以「莫須有」罪名誣害，韓世忠為之不平曰：「莫須有」三字何以服天下？以文言解釋即「欲加之罪，何患無辭？」以現代白話文則為「莫須」即「無須」也，欲定其罪，不需要有罪名、罪行也！負負得正，兩個反義字就變成肯定義，如「莫逆」、「莫逆之交」。「莫怪世人容易老，青山也有白頭時。」是白髮老者的無奈！

行楷

金文

小篆

行書

金文：左邊是個「午」，右邊是個「言」，古時「許」音「虎」，故「午」表聲，「言」表義，是個形聲字。

小篆：與金文寫法相反，「言」在左，「午」在右。

楷書：由小篆字形轉換而來，仍為「言」與「午」的組合。

簡化字：「许」：「言」用草書的筆法書寫以簡化之。

◆古義

《說文》：「許，聽也。」聽從也、相信也。「孟子．梁惠王」：「明足以察秋毫之末，而不見與薪，則王許之乎。」能夠看清極微小的事物，而看不見粗大的柴火，您能「聽」而「從」之嗎？「相信」嗎？「容許」嗎？「許可」嗎？「答應」嗎？故知「許」之本義為「許可」、「答應」。由「答應」引申為「給予」，如以身相許。女嫁夫稱「以身相許」、「許婚」、「許配」等，男報國稱「以身許國」。亦有「後進」、「繼承者」之義。「詩經．大雅．下武」：「昭茲來許，繩其祖武。」「昭茲」是光明磊落，「繩」是繼承，真的是光明磊落啊！繼承者繼承了先祖的事業。「如許」是指「這麼些」，「宋．辛棄疾．賀新郎」：「啼鳥還知如許恨，料不啼清淚長啼血。」亦有「稱許」、「期許」、「些許」、「幾許」等義。「許許」是伐木聲，「詩經．小雅．伐木」：「伐木許許，釃酒有藇。」「許許（音虎虎）」，「釃（音私）」是把酒濾清，「藇（音序）」香醇也。伐木聲沙沙作響，濾過酒糟的酒多麼香醇！

◆今意

現在是自由戀愛的時代，長輩主動「許配」的婚姻已少，多為被動的「許婚」，有時是不得不答應也！也多用於長輩、長官的「允許」、「准許」、「期許」等，也可對自己作期許，如「陸游．書憤」：「塞上長城空自許，鏡中衰鬢已先斑。」亦用於數目的多少，「古詩十九首」：「河漢清且淺，相去復幾許。」現代人常為達願望而祈求於神明，並許諾獲驗後豐祭報答，此常見於上了年紀之人，蓋為子孫祈福許願也！

「午」是正中午，朗朗乾坤，光天化日，正中午說的話一定要兑現，故而「許」下的諾言即「千金一諾」，不能悔改！

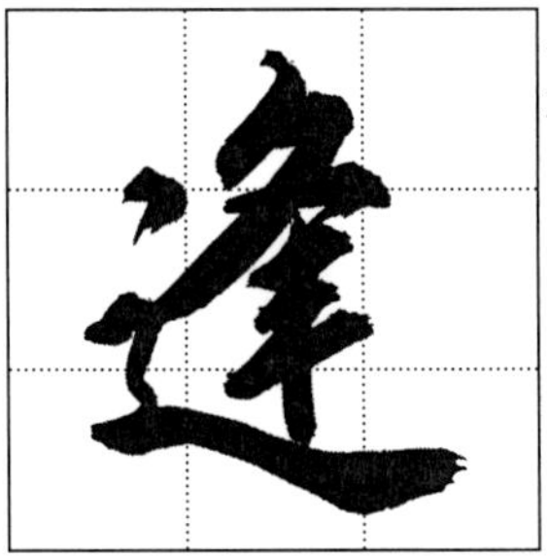

行楷

甲骨文

石文

小篆

行書

甲骨文：頂部是一隻腳趾朝下的趾（止），左下是個「彳（音斥）」，是行動的符號，右下方是個裝食物的食器「豊」，表聲，在用腳行進中與他人相遇之義，是個會意兼形聲字。

石文：「彳」與「止」組成了「走之」旁的「辵（音綽）」部，右邊變成了「夆」字，亦表聲。

小篆：由石文演變而來。

楷書：由小篆字形演變而來。

逢之簡化字與繁體字相同。

◆古義

「說文」：「逢，遇也。從辵、夆。」「詩經．王風．兔爰」：「我生之後，逢此百憂。」我出生之後，遭遇到許多憂患，「百」是形容多也。「唐．李益．喜見外弟又言別」：「十年離亂後，長大一相逢。」經過十年離亂，你已長大，我們竟然在異地相遇！故知逢之本義為「遭遇」、「相遇」。兩者相遇，必定有一方是迎面而來，故引申為「迎」、「逆」等義，「詩經．大雅．大明」：「文定厥祥，親迎于渭。」「文定」是指以卜辭定下的，「厥祥」是吉祥的婚事，文王在渭河旁親自「迎接」。「史記．五帝紀」：「迎日推策。」對未來的日月朔望推而策之稱「迎日」，即逆推也。「逢逢」（應讀朋朋）是指咚咚的鼓聲。亦有「大」義，如「逢衣」、「逢掖」是指掖下寬大之衣也！

◆今意

「逢迎」最早用於「迎接」、「接待」，是正義詞，後因「接待」起了變化，變成「奉承」、「諂媚」，至今已成了貶義詞。如你對別人說：「君遠至，弟將設宴逢迎。」一定沒人敢去！「逢場作戲」是古藝人遇到合適的場所就取出道具，開場表演，現在變成逢時遇景，或偶涉遊戲之事，為自己不得已或作了不恰當之事的脫罪詞！「逢人說項」是唐楊敬之喜愛項斯之才，逢人便說項斯的好話，現在「說項」變成替人講情、求情之詞！

現代人仍有許多喜歡「逢君之惡」，迎合上位者的喜好，即使惡行亦為之，所謂：「上有好者，下必甚焉」！孟子．告子下：「逢君之惡，其罪大。」此「逢迎」、「奉承」大不宜也！

行楷

甲骨文

金文

小篆

行書

甲骨文：中間是一條頭朝上，身體直立朝右的狗形，左右兩邊是「木」形，「犬」在林中之意，是個會意字。

金文：上半部仍是一條「犬」形，下方左右變成「草」形，「草」是「木」的初形，體矮小，故放在下方。

小篆：由金文演變而來，「犬」上左右又加了草，表示「犬」在「草」中也。

楷書：由小篆字形演變而來。仍有犬在草中之形。

莽之簡化字與繁體字相同。

◆古義

「易經・同人」：「伏戎于莽，升其高陵。」先把兵士藏在密林草叢中，再爬到高地觀察。故知「莽」之本義為「密林」，之後引申為「密林草叢」。「方言」：「草，南楚之間謂之莽。」故凡草木深邃之地皆可稱「莽」。因甲骨文之「莽」為「林中有犬」，故《說文》：「莽，南昌謂犬善逐兔草中為莽。」僅為局部的說法，非莽之本義也。「草莽」引申為「草野」，「孟子・萬章」：「在野曰草莽之臣。」亦引申為「粗率」、「粗鹵」、「莽撞」等，「鹵」與「魯」通，「粗鹵」及「魯莽」的男子稱「莽夫」、「莽漢」，「莽大夫」是指屈節仕於偽朝廷的人，典出漢楊雄仕王莽為大夫。「莽莽」是草木深幽茂盛，面積寬廣之謂。「莽」亦植物名，是茴香料中的「八角」，滷菜時常用之！

◆今意

《說文》中有：「犬善逐兔於草中。」使我想起四川成都有句俗語：「話是酒攆出來的，兔是狗攆出來的。」頗有道理，一般獵兔都要放狗在草中追趕；平常話不多的人，酒一喝多，話就不停了。不拘禮教，個性率真，稱其有「草莽」之性。未依禮教，冒昧唐突之舉稱「莽撞」！「莽莽」是指廣闊草原，但毛澤東的「沁園春」：「望長城內外，惟餘莽莽。」是指冰封的大地！

行楷

金文

古文

小篆

行書

金文：外面是一間房屋的形狀，屋內左邊是一條「舟」形，右邊是一個「告」字，表聲，在屋內造舟之義，是個會意兼形聲字。

古文：是古文的寫法，把房屋去掉，屋外亦可造舟，此爲純形聲字。

小篆：古時最初之「舟」是將木板用繩索穿牢，搭放在水面上，後稱「浮橋」，俾人行走或通過，故「舟」變成了「走之ㄧ辶」部。

楷書：由小篆字形演變而來。

造之簡化字與繁體字相同。

◆古義

「增韻」：「造，建也、作也、為也。」「易經．乾卦」：「飛龍在天，大人造也。」龍在天上高飛，有德行的君主正有所作為也。「詩經．鄭風．緇衣」：「緇衣之好兮，敝，予又造兮。」黑色的朝服真好看，穿舊了，我就給您製作新的。「造」的第二種讀音為「操（去聲）」，《說文》：「造，就也。」成就之謂也。「詩經．大雅．思齊」：「肆成人有德，小子有造。」「肆」者，故也！故大人都有道德，小伙子都有成就。「造」亦「併」也。「爾雅．釋水」：「天子造舟。」將木板併在一起浮於水上也。故觀全文得知，「造」之本義為「造舟」。亦有「急遽」之義，「論語．里人」：「造次必於是，顛沛必於是。」即使在急遽與顛危之時，都是如此。亦「至」也，到某境界也！

◆今意

「造」在現代多發「噪」的音，而古之第二讀音「操（去聲）」已很少用上，如「造就」、「造詣」、「造訪」、「兩造」等，都習慣讀「噪」音，故吾人亦不必刻意復古，此或即約定俗成之謂吧！從古至今，「造」之本義及用法無太大改變。古之訴訟，被告與原告稱「兩造」或「兩曹」，蓋因兩者均需「到」庭，故稱「造」，不能錯用於無訴訟的兩人。「造孽」是做壞事，種惡因，「造訪」是前往拜訪，「造就無緣」是想去拜訪，但無機會！

「造士」是指學業有成之士的文言用語，「造次」也是文言用語，現今則說「冒昧」！

「造謠」是指散布謠言，是一種非常可怕的行為，古今均有之，且從未間斷，未知世風何時能導正？

行楷

甲骨文

金文

小篆

行書

甲骨文：上半部是一頭豬的形狀，下半部是一隻腳趾，義即用腳快跑，追趕一頭野豬，是個會意字。

金文：左邊多了一個「彳（音斥）」，是行動符號，右上仍是豬形，右下變成「止」字。

小篆：「彳」與「止」成了「走之」旁的「辵（音綽）」部，右邊變成「豕」字。

楷書：由小篆演變而來，「辵」部寫成「走之—辶」旁。

逐之簡化字與繁體字相同。

◆古義

《說文》：「逐，追也。」追逐也，「易經．睽卦」：「喪馬，勿逐自復。」跑掉的馬，不必急著去追回，馬兒自己會回來。「漢．李陵答蘇武書」：「斬將搴旗，追奔逐北。」「搴（音牽）」者，拔取也，「北」者，敗走也，斬敵將，拔敵旗，追擊敗走的敵兵也！故知「逐」之本義爲「追逐」。亦引申爲「驅逐」，「史記．李斯傳」：「非秦者去，爲客者逐。」此乃秦王下逐客令，驅逐異國遊說之士的作爲。亦引申爲「競爭」，「漢書．蒯通傳」：「秦失其鹿，天下共逐之」「鹿」指天下，亦指帝位，「逐」是爭奪，天下共爭之也。亦有前後相連貫，循序漸進之義，如「逐日」、「逐月」、「逐年」等。

◆今意

「逐」為「追逐」之本義至今未變，常「驅」與「逐」並用為「驅逐」，「驅」是帶有「主動」而有「威逼」之義，如海軍火力強大的「驅逐艦」，強勢驅離之謂也！亦常用於副詞的「逐一」、「逐次」、「逐條」、「逐步」、「逐漸」等。很多人弄不懂為何要說：「捨本逐末」？因為我國是以農立國，故百姓以務農為本務，以經商作買為末務，故對從事買賣之人常謂「捨本逐末」！今則以經濟為導向，企業家常為國家撐起半邊天，綜觀古今，感慨的是：「滄海桑田，本末倒置。」也！

行楷

甲骨文

金文

小篆

行書

甲骨文：左上方是一隻羊的形狀，右下方是一隻手，以手將羊高高舉起，進獻之義也，是個會意字。

金文：上端的羊形多了一橫，表示耳朵和嘴巴，下面變成兩隻手，以雙手敬獻之義也。

小篆：上端不變，下面雙手變成「丑」字，「丑」亦表聲，此時亦為形聲字。

楷書：由小篆字形演變而來，其本義仍略約可見。

羞之簡化字與繁體字相同。

◆古義

《說文》：「羞，進獻也，從羊，羊所進也，從丑，丑亦聲。」故知「羞」之本義為「進獻」。「張衡．思玄賦」：「羞玉芝以療飢。」進獻靈芝草以充飢也。另舉凡熟食或飲食等物皆可言「羞」，「周禮．天官．膳夫」：「掌王之食飲膳羞。」即有滋味之食物稱「羞」也。以牲畜及禽獸為之者，更具滋味，謂之「庶羞」，庶者，眾味也，品名多也；羞者，進也，餚味美也。因禍從口出，易受辱或辱人，後人將「羞」多轉用於「恥」、「辱」等義，故另加「食」旁為「饈」，以專表「進獻」、「膳饈」、「珍饈」等。而「羞」則多用於「羞怯」、「羞慚」、「羞恥」、「羞辱」、「羞澀」等，「羞」有自謙及損人兩種用法，而其最傳神而高雅者莫過於「李白．西施詩」：「秀色掩古今，荷花羞玉顏。」

◆今意

今人常用「羞與為伍」形容不齒於某些人的行為，此乃出自漢代韓信不屑與樊噲將軍為伍之「羞與噲伍」之語也！韓信是不屑或不甘與凡庸之輩並列，今人則不屑或不齒與行為不當之人為伍，兩者不同，吾人應知其義也！今人亦常用「羞於啓齒」表示不好意思說出口，「羞人答答」表示女子之嬌羞，但若用於「羞辱」，其義就如「翻臉像翻書」般大轉變了！

「唐．李白．長干行」：「十四為君婦，羞顏未嘗開」，是少女的「羞答」。

「唐．杜甫．九日藍田」：「羞將短髮還吹帽，笑倩旁人為正冠」是老男生的「羞澀」和「尷尬」。

行楷

甲骨文

金文

小篆

行書

甲骨文：上部是一把倒豎的禾桿，中間是一個打穀的農具，下面四個小點是打下來的穀糠物，是個象形字。

金文：形與義均與甲骨文相同。

小篆：中間的左右兩邊變成手形，雙手執禾桿，下面的穀糠變成「禾」字。

楷書：變化較大，上部變成「广（音眼）」字，「屋」也，貯穀物農具於屋也，下面「米」字變成「水」字，完全看不出打穀的樣子。

康之簡化字與繁體字相同。

◆古義

「康」是「糠」的本字，穀皮曰「糠」，「前漢．食貨志」：「貧者食糟糠。」「糟」乃酒滓，「糟」與「糠」均爲貧苦人家所食之物也。後人將「康」借爲「安」、「樂」之義後，另加「米」旁爲「糠」以與之區別。「爾雅．釋詁」：「康，樂也，安也。」「詩經．唐風．蟋蟀」：「日月其除，無已大康。」除者，消逝也；大康，過樂也。光陰逝去不返，且莫過度縱樂也！「詩經．大雅．民勞」：「民亦勞止，汔可小康。」汔（音企）者，應該也，百姓已很勤勞，應該可得安康。亦有「褒」義，「禮記．祭統」：「康周公」。贊美，表揚也。亦有空、虛之義。「詩經．小雅．賓之初筵」：「酌彼康爵，以奏爾時。」把那大空杯斟滿，獻給那得勝者。

◆今意

「康」至今已全無「糠」義，用於「褒揚」或「空虛」之處亦少！現在多用於「康樂」、「安康」等，「福壽康寧」是常用的祝詞，祝賀別人幸福、長命、健康、安寧等。小老百姓最大的願望就是能有個小康之家，衣食無缺，略有積蓄。每個人都要注意身體的健康，因為「健康即財富」！健康是用錢買不到的，沒有健康就沒了一切，宛如古之破了的「康爵」（空酒杯），再也斟不進幸福的美酒了！

「康莊」是寬闊通暢的大路！「康莊大道」是指四通八達的大道。人的一生行為舉止都要開大門、走大路，行於康莊大道之上，且莫「踰閑蕩檢」，踰越本分也！

行楷

甲骨文

金文

小篆

行書

甲骨文：上面是個大旗桿，有飄揚的旗幟，旗下是支箭，箭頭指向大旗，表示全體成員都效忠在這面旗幟下，是個象形字。

金文：與甲骨文形體相似，其義相同。

小篆：由金文演變而來，旗與箭分兩部並列。

楷書：由小篆字形演變而來。

族之簡化字與繁體字亦同。

◆古義

《說文》：「族，矢鋒也，束之族族也。」「矢鋒」指箭頭鋒利之處。「箭」，從函谷關以東，即現今河南、山東等地稱「矢」；函谷關以西即陝西、甘肅等地稱「箭」。「族族」者，集聚也，古時五十矢為一束。因束在一起，故有「親屬」之義。「尚書．泰誓」：「罪人以族。」即一人有罪，刑及父母妻子等三族也，更甚者，有滅九族之刑，「九族」者，有二說。一指直系，自高祖至玄孫；另則指父族四、母族三、妻族二為九族。「史記．秦始皇本紀」：「以古非今者族。」即以古非今之人將受滅族之刑也。除有聯繫之親屬為「族」外，古時人民聚集居住的地方稱「閭里」，二十五家為一「閭」，四閭百家為一「族」。另人種之類別亦曰「族」，同類亦曰「族」。

◆今意

大的指「民族」，小的指「家族」，中華民族是由漢、滿、蒙、回、藏等五族組成，清末革命時，革命黨人倡議推翻滿清專制，成立以漢、滿、蒙、回、藏五大民族組成共和政體之國家，時稱「五族共和」。家族則指有血緣關係的一家人即親屬，經濟組織最早起起源於「家族經濟」，自「生產」至「消費」之經濟活動過程，全在有血緣關係之家族內，成員分工合作，各司其職，與他族無交集，乃自足經濟時代也！

人有不同的類別，故有種族之分，既有種族之分，就易衍生種族歧視，彼此膚色不同尤甚，若能族群融合，世界大同矣！

行楷

甲骨文

金文

小篆

行書

甲骨文：左上方是一支向右飄揚的旗幟，旗下有一個口字形，表示繞行方形的圈子，口下有隻腳形，表示舉旗用腳繞圈，是個象形字。

金文：較甲骨文少了個繞圈的「口」，腳形也有改變。

小篆：字形化分成左右兩部分，「止」變成「足」字。

楷書：由小篆字形演變而來，「足」變成「𤴓」字

旋之簡化字與繁體字相同。

◆古義

《說文》：「旋，周旋旌旗之指麾也，從疋。」「疋（音書）」者，足也，腳隨旌旗舞動而繞圈旋轉之謂。「麾（音灰）」是指揮軍隊進退的旗子。其本義為繞圈旋轉，故凡以圓形繞圈轉動者均稱「旋」。「荀子．天論」：「列星隨旋，日月遞炤。」群星繞圈轉動，日月相互照耀大地。因旋轉一圈後，又回到原點，故有「返」、「歸」等義，「宋之問．軍中登高詩」：「聞道凱旋乘勝入，看君走馬見芳菲。」因旋轉快速，故亦有「疾」義，即「一瞬間」、「一會兒」，「史記．天官書」：「殃旋至。」災禍瞬間來到也。因是「一會兒」，故亦詼諧戲謔用於「小便」，一會兒就完事兒了。因繞圈轉動，故亦有「圓滿」之義。「易經．履卦」：「視履考祥，其旋元吉。」自我拾省，周密考察，力求圓滿則吉也。另因「環」是圓旋形，多用於鍾柄、門環，故「旋」、「環」古時同聲，亦通用。

◆今意

「旋」為繞圈旋轉之本義至今未變，因「旋」有圓滿之義，故常用「斡旋」以轉圜頹勢、彌補缺憾。亦常用「旋乾轉坤」冀期自己或他人能力挽狂瀾、迴轉天地。更常用於學術領域，如「旋律」、「旋律短音階」是音樂名詞。「旋轉軸」、「旋轉圓錐」是數學名詞。「旋轉磁場」是物理名詞。「旋光率」、「旋光散射」是化學名詞。「旋渦星雲假說」是天文學名詞等。其中以「音音旋律」最常與我們接觸。

「旋」亦指「回來」，「凱旋」是勝利歸來，多用於出征的軍隊、出賽的團隊或選手。「旋即離去」是文言用語，白話文就是「一會兒就離開了」！

行楷

甲骨文

金文

小篆

行書

甲骨文：上部左右兩邊是兩隻手，中間是一根「杵」形，杵下是個裝有米粒的「臼」，雙手握杵在臼中舂米之謂，是個會意字。

金文：與甲骨文相似，僅在杵上多了一橫木，便於雙手緊握不鬆滑之義。

小篆：由金文演變而來，臼內之米變成四點。

楷書：由小篆演變而來，上部手形變字形，下部仍有「臼」形。

舂之簡化字與繁體字相同。

◆古義

《說文》：「舂，擣粟也。」北方人稱「粟」為小米，「粟」亦黍、稷、粱、秫之總稱。擣去粟物外皮謂之「舂」。「詩經．大雅．生民」：「誕我祀如何？或舂或揄。」「揄（音油）」舀也，我該如何祭祀呢？有的擣米，有的自臼中將擣成之米舀出來。古時凡「擣」皆可謂之「舂」。「唐．李白詩」：「長安一片月，萬戶擣衣聲。」擣衣即以木棒舂衣也。「李白詩」：「田家秋作苦，鄰女夜舂寒。」「舂寒」即寒天舂米之謂，種田人家秋收的工作是很辛苦的，鄰家女寒天深夜仍在舂米啊！古時婦人犯罪，不服軍役等勞重之事，但令舂米。「周禮．秋官．司厲」：「其奴男子于罪隸，女子入于舂稾。」故「舂米」為古女子犯罪服刑的一種方式。

◆今意

今已不用「舂」法擣粟皮、去穀殼了，當然女子犯罪亦沒有「舂米」之刑可罰，現在是工業時代，「秋收」的夜晚，能聽到的不會是鄰女舂米聲，而是機器運轉的碾米聲吧！「舂」現在仍用於中藥行的「舂藥」。記得小時候家裡很窮，逢年過節打牙祭想吃粉蒸肉時，就先把米在炒菜鍋裡炒黃了，再放入別人丟棄的奶粉罐內，用擀麵棒把米「舂」成粉，那時候的粉蒸肉真香！

行楷

甲骨文

金文

小篆

行書

甲骨文：上面是個「日」，表示太陽，下面是三個人在烈日下彎腰幹活，田裡的活應該不只三個人幹，其義為「眾多」也，是個會意字。

金文：上面的太陽變成了「目」，表示不一定在太陽下，在屋裡也有統治者的眼睛盯著。

小篆：上面從象形「眼」變成文字的「目」，下面仍是三人。

楷書：由小篆演變而來，原是三人並立，為美化字形，變成中間較高，左右陪襯之。

簡體字：「众」三人成眾，簡單明瞭，簡化字亦用之。

◆古義

《說文》：「眾，多也。」指很多人也。「國語．周語」：「三人爲眾。」「詩經．周頌．臣工」：「命我眾人，庤乃錢鎛，奄觀銍艾。」「庤」指準備，「錢鎛」是農具，「奄」是一同，「銍艾」指收割，銍者鐮刀也，艾者刈也、割也。其意爲：命令我的百姓，準備好農具，一起來看收割的場景。故知「眾」之本義爲人數眾多之義。「國語．周語」：「眾心成城，眾口鑠金。」意爲眾心所好，莫之能敗，其固如城；眾口所毀，雖金石仍可銷也。「眾」讀音爲「終」時，係指一種叫「秫」的穀物，乃稷之黏者，即「黍」也。另古時雨下三日以上爲「霖」，亦稱「眾雨」。

◆今意

今者用「眾」表示穀物或「眾雨」已極少見，而專用於表示人數的眾多。佛家所指的「眾生」是包括人與所有有生命的動物，人不能離群索居，每天都與群眾互動，就算「宅」在家裡的男女，衣、食、住等也是其他眾人製造的，可見群眾之力，當一個人「觸犯眾怒」、「眾叛親離」時，情境何等淒涼！當「眾星拱月」、「眾望所歸」之時，又是何其愉悅！不論那種結果，終究還是看自己！

「宋．辛棄疾．青玉案」：「眾裡尋他千百度，驀然回首，那人卻在燈火闌珊處。」王國維曾在「人間詞話」中用這三句形容成大事者千辛萬苦、歷經風霜而獲成功的喜悅，萬般焦慮失望之後的失而復得，愉悅之心實難比擬！

行楷

甲骨文

金文

小篆

行書

甲骨文：上面的兩橫表示橫向的兩層雲，下方的曲捲形是代表捲狀的雲團，天空中的雲有很多層，且各有變化不同，是個象形字。

金文：與甲骨文相似，僅捲曲的形狀不同。

小篆：上面加了個「雨」字，雨水來自雲，晴空萬里不會下雨，下半部的「云」表聲，此時爲形聲字。

楷書：由小篆字形轉換而來。

簡化字：「云」本為「雲」的初字，「云」借為「說」即語文的助詞後，另加雨為「雲」而分開用之，今復採用古字以簡化之。

◆古義

《說文》：「雲，山川氣也，從雨、云。象雲回轉形。」雲乃水蒸氣凝結而成的微小水滴，浮游空中，靠近地面的稱霧，在高空者稱雲。「廣韻」：河圖曰：「雲者天地之本。」河圖是伏義所畫之八卦圖也。「易經・乾卦」：「雲行雨施。」「千字文」：「雲騰致雨。」皆因有雲始有雨也，故古人在「云」上加「雨」為雲，實觀大自然之至理也！引申為「多」、「盛」。「詩經・齊風・敝笱」：「齊子歸止，其從如雲。」「齊子」指「文姜」，「歸」是嫁，文姜嫁到齊國時，跟隨的僕從如雲。「霓」是雲的一種景色，雨後見霓虹。「孟子・梁惠王」：「民望之，若大旱之望雲霓也。」喻百姓對上者之渴望也！

◆今意

女士們披在肩上的衣飾古稱「雲肩」，今稱「披肩」、「圍巾」。「雲梁」、「雲梯」、「雲橋」等都是古攻城戰具，今者僅「雲梯」仍用於消防、營建等處。古時自本身往下數第九世之孫稱「雲孫」，古以三十年為一世，世代相隔遙遠如浮雲之謂也！現在有曾孫同堂已不易，玄孫更難，遑論雲孫！有人交友廣闊，請客時冠蓋雲集，我則雲心月性，視富貴如浮雲，對名利雲淡風清，在中華湘台（湖南與台灣）書畫聯展時，曾書「淡如雲」三字與大家共勉，不爭、無尤，自然海闊天空。

行楷

甲骨文

金文

小篆

行書

甲骨文：上半部是一隻「鳥」形，下半部是個「木」形，鳥棲歇於樹也，是個會意字。

金文：上面的鳥形變成「隹」字，下「木」不變。

小篆：與金文幾乎相同，亦有上半部書寫三個「隹」字的寫法，表示眾鳥棲樹之謂。

楷書：由小篆形體轉換而來，仍有鳥棲於木之古義。

集之簡化字與繁體字相同。

◆古義

《說文》：「集，本作雧，群鳥在木上也。」小篆時期有「三鳥棲木」的寫法，表群鳥在木，後仍簡化為一「隹」。「詩經．周南．葛覃」：「黃鳥于飛，集于灌木，其鳴喈喈。」「黃鳥」是黃雀，「集」即鳥停歇於樹，「喈喈」是鳥叫聲。黃雀上下飛舞，忽而停歇於灌木，叫聲嘰唧。故知「集」之本義為「棲歇」。由眾鳥棲歇引申為「聚」、「會」之義。「孟子．萬章」：「孔子之謂集大成。」孔子會集古聖先賢之大道也。亦引申為「成就」。「詩經．小雅．黍苗」：「我行既集，蓋云歸哉？」「蓋」通「盍」，何不也，我們此行的任務已經完成，為何還不回去？「尚書．武成」：「大統未集。」大業尚無成就也！「集」亦古時圖書分類中「經、史、子、集」之一。亦通「輯」，和睦、安定之義，「史記．秦始皇本紀」：「天下初定，遠方黔首未集。」「黔首」指黎民百姓，尚未安定和睦之謂也！

◆今意

「集合」、「集會」、「集體」是有形的聚集，而課堂上老師要求學生「集中」精神、「集中」注意力聽講是無形的！現在政府蓋的「集合住宅」是大家同住在同樣格局的建築房屋內。「慎子．知忠」：「白狐之裘，蓋非一腋之皮也。」一件皮袍絕非一隻狐的腋毛能製成的，後引申為積少成多或集合眾資以成一事！「集思廣益」是集眾人之智慧，以增更大效益。現在流行「集團結婚」，這是經濟實惠的好辦法！

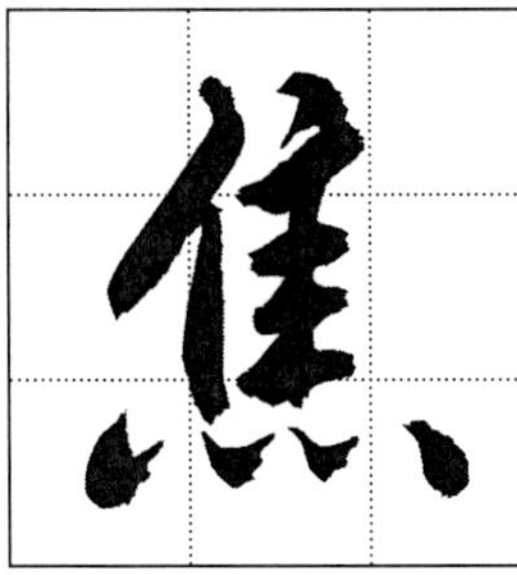
行楷

甲骨文

金文

小篆

行書

甲骨文：上半部是一隻小鳥的形狀，下半部是一堆火形，鳥在火上烤，用火烤小鳥，使之「焦」黃能食，是個會意字。

金文：上鳥下火，與甲骨文義同形不同。

小篆：上半的鳥變成「隹」字，下半部變成火字，亦有上半部寫成三個「隹」形的寫法。

楷書：由小篆字形演變而來，下部四點同「火」字。

焦之簡化字與繁體字相同。

◆古義

《說文》：「焦，本作㸋，火所傷也。」「火傷」即「炙」，烤熟的肉也。用火烤使肉熟黃可食謂之「焦」，故知焦之本義為將肉「烤黃」，如烤過頭了則變「焦黑」，「左傳・定公九年」：「卜過之，龜焦。」占卜時，龜背燒過頭了，就會焦黑。由「焦黑」引申為「臭」，火之臭味也。「焦飯」是鍋底之焦黃飯，俗稱「鍋巴」。「世說新語・德行」：「吳郡陳遺，家至孝，母好食鐺底焦飯，遺作郡主簿，恆裝一囊每煮食，輒貯錄焦飯，歸以遺母。」後因戰事，所積數斗焦飯未能遺母而攜之出征，兵敗潰敗，避走山澤，兵多餓死，遺獨以焦飯得活，時人以「孝心有好報」稱頌也！亦引申為心被火烤曰「焦心」、「煩苦」，「阮籍・詠懷」：「誰知我心焦。」「杜牧・阿房宮賦」：「楚人一炬，可憐焦土。」大火焚後之灰燼泥土也！

◆今意

現在烤鳥的少，烤肉的多，近年不知何時，中秋節流行烤肉，葷的素的大「串」烤，但小心別烤得焦黑，否則吃多了會致癌。現在煮飯用電鍋，鍋底已沒有焦黃的鍋巴了。記得兒時母親喜歡吃鍋巴，焦黃香脆可口，現在為了孝敬她老人家，能買到的鍋巴都只脆不黃，像米花糖，完全兩回事兒！救火時，頭額被火灼傷稱「焦頭爛額」，今則比喻為事所困，心力交瘁，苦不堪言謂之「焦頭爛額」！

心裡苦思稱「焦思」，心中憂慮稱「焦慮」，心急稱「焦急」，心煩稱「焦心」，心愁稱「焦愁」，人遇煩心之事再所難免，但千萬切記，戒急用忍，冷靜深思才是完美解決問題之道！

行楷

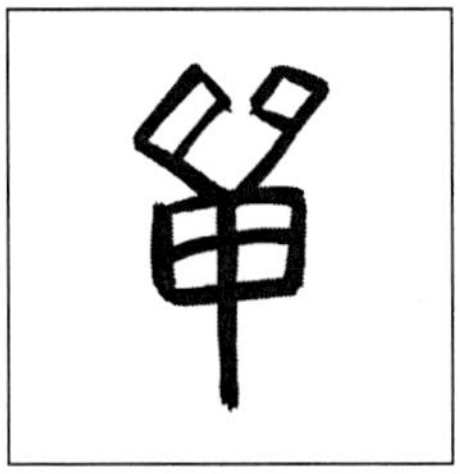

甲骨文

金文

小篆

行書

甲骨文：上部是一根樹椏，椏尖兩頭縛上石塊，中間是木製的執柄，是最原始的武器，是個象形字。

金文：與甲骨文相似，只是方形變成圓形。

小篆：由金文演變而來，圓形變成了「口」字，柄下又多了一橫，是防衛的橫桿。

楷書：由小篆字形轉換而來。

簡化字：「单」兩個「口」字取行書的寫法簡化之。

◆古義

「老子」：「善單（戰）者不怒。」「單」在古時與戰通，是持最原始的武器與獸或敵作戰。「單至」（音戰蝶），釋文：「戰激之至。」故知「單」之本義為「戰」。由「戰」引申為「厚」、「盡」、「詩經．小雅．天保」：「俾爾單厚，何福不除？」「單」即「厚」也，同義連用，以加強語氣，「除」即「予」，賜予也，上天使您福祿豐厚，什麼福不賜予您啊？自「單」被借用為「双」之對義詞「單一」、「單獨」後，「單」之「戰」、「厚」本義即失。「玉篇」：「單，一也，隻也。」「詩經．大雅．公劉」：「其軍三單，度其隰原。」「度」是測量，「隰（音席）」指窪地，他的軍隊分三批輪換，測量那窪地和平原。「單」亦薄，單薄也。亦作「殫」，如單（殫）心，盡心也。「單」當姓氏時唸「善」音。漢朝時，匈奴稱其君主為「單（音蟬）于」，「單于」是廣大如天之貌也。

◆今意

單是双的對義，單是奇數，双是偶數，單是指一個，如「單丁」、「單方面」、「形單影隻」等，大家都會用。記得有一軼聞，清末李鴻章銜命赴日，日人欲羞辱中國，並測試李鴻章之中文程度，在歡迎會上書一上聯，請李以對：「張長弓，騎奇馬，琴瑟琵琶，八大王單戈能戰。」均兩字合為一字，霸氣十足。李毫不猶豫立對以：「偽為人，襲龍衣，魑魅魍魎，四小鬼合手即拿。」李文思敏捷，中國文字亦博大精深也！

年輕氣盛之人常因些許小事找人單挑，是謂「單打獨鬥」，實不宜也！不如把這股勁用於「單身創業」、「白手起家」，必定事業有成！

行楷

甲骨文

金文

小篆

行書

甲骨文：下半部像一座用木材搭建的樓閣，樓閣上有一根樹枝長長的伸出，高而曲也，是個會意字。

金文：樓閣變成了「高」字，頂上的樹枝變成了小彎鉤，是指事符號，義為此處高也！

小篆：由金文演變而來，形體極為相似。

楷書：由小篆字形轉換而來。

簡化字：「乔」下半部以「兩豎」代表甲骨文之樓閣支柱，以簡化之。

◆古義

「喬，高而曲也，從夭從高省。」「爾雅．釋木」：「木上句曰喬。」「句（音鉤）」與「鉤」通，俗作「勾」，草木屈生曰「句」，另「小枝上繚曰喬。」「繚」是「纏繞」。「詩經．周南．漢廣」：「南有喬木，不可休息。」「息」當作「思」，是語助詞，南方有高大的樹木，不可在樹下休息呦。故知「喬」之本義為「高大」。「詩經．周頌．時邁」：「懷柔百神，及河喬嶽。」「懷柔」是安撫，此處指「祭祀」，「河」指黃河，此處是「河神」，「喬嶽」是高山，此指山神。祭祀各方百神，以及河神山神之義。「喬」亦通「嶠」，如「嶠嶽」，通「驕」，如「驕逸」。另「假飾」曰「喬裝」，「喬裝」即「假裝」也，「詩經．小雅．伐木」：「出自幽谷，遷于喬木。」鳥兒從幽深的山谷飛出，遷居到高大的樹木上。因係自低處遷往高處，後人以祝賀他人搬新居或仕途之升官為「遷喬」或「喬遷」。

◆今意

今「喬木」常與枝幹低矮或無主幹的「灌木」作為樹木高矮的區分，「喬」亦多用於假裝，如「喬裝」，假扮也！「喬梓」是兩種高矮不同的樹木，比喻「父與子」。語出「尚書大傳．梓才」：商子曰：「南山之陽有木焉，名喬，喬者，父道也；南山之陰有木焉，名梓，梓者，子道也。」後人以「喬梓」比喻「父與子」，但現在知道這詞句與典故的人已不多，用的人極少，讀了這段以後，見人用之，即解其義也！

「喬」亦姓氏，最有名的是東漢時之「喬玄」育有二女，大喬嫁孫策，小橋嫁周瑜，世稱二喬。「唐．杜牧．赤壁懷古」：「東風不與周郎便，銅雀春深鎖二喬」。

行楷

甲骨文

金文

小篆

行書

甲骨文：上面是兩堆土，土下是一個面朝左的人，頭上的一橫是平頂，亦是「兀」字，「兀」已夠高，其上堆土，更加高也。是個會意字。

金文：既然上端是兩堆土，下方亦以兩人表之。

小篆：兩堆土尚不足形容其高，再堆上一層土，仰之彌高也。

楷書：由小篆直接轉換而來，其義相同。

簡化字：「尧」上半部取草書的筆法簡化之。

◆古義

「說文：堯，高也，從垚，在兀上，高遠也。」「兀」已高聳，其上再堆三土，其形更高，猶如聖賢，仰之彌高也。「白虎通」：「堯猶嶢也，嶢嶢者，至高貌，如古唐帝堯也。」唐堯乃帝嚳次子，初封陶，後徙唐，故稱陶唐氏，繼其兄「摯」為天子，有德政，其號曰堯，史稱「唐堯」，至聖者也。「堯」與「舜」皆為生時臣民百姓所稱之號，並非死後之諡號也。因堯為聖君，百姓安樂，故後人以「堯天」、「堯年」比喻太平盛世。中國疆土確定分為十二州，雖始行於舜，但歸功於堯，故曰「堯封」。「堯階三尺」是指堯的宮殿台階僅有三尺高，讚美帝堯儉樸之美德，絕不虛華浪費之謂也。

◆今意

「堯」這個字太崇高、太神聖，已經變成專用詞，除了「唐堯」之外，沒有任何人敢僭用之！或偶僅用於讚美有大賢大德者之形容詞、比擬詞。而當事人均辭而弗敢受也！孔子是至聖先師，尚對「帝堯」讚美備至，「論語．泰伯」：「大哉，堯之為君也！巍巍乎，唯天為大，唯堯則之！蕩蕩乎，民無能名焉！巍巍乎，其有成功也！」「堯」亦為姓氏，我對「堯」姓的人第一印象都會肅然起敬！

行楷

金文

小篆

行書

金文：上面是釆（音辨）字，與「采」（音採）不同，是「辨」的本字，像一隻野獸走過，腳留下了趾印，要「辨識」是何獸類之謂，下半部是一「田」字，獸類多因覓食而走過田間，留下趾印，是個象形字。

小篆：由金文演變而來，形體極為相似。

楷書：由小篆形體轉換而來。

番之簡化字與繁體字相同。

◆古義

《說文》：「獸足謂之番，從采田，象其掌，或作蹞蹯。」「番」本為「蹯」之本字，「番」移作他用後，另加「足」為「蹯」蹞、蹯均專指獸足也。故知番之本義為「獸足」。因獸類均以四足交替而行，引申為「交替」、「更替」。「北史．賀若弼傳」：「請廣陵頓兵一萬．番代往來。」「頓」者，「貯備」也，「番代」是「更替」，「往來」是「輪流」，請在廣陵屯兵一萬，並輪流更替。由「更替」引申為計數之辭。「歲時廣記」：「江南自初春至夏五日一番風候，謂之花信風。」「一番」是指一次，「風候」是風季，「花信風」是指三月間花開季節所吹之風，亦即「二十四番花信風」的簡稱，「風」應「花」期而來，花有「信」也，故名。「唐．黃蘗禪師」：「不是（非經）一番寒澈骨．怎（那）得梅花撲鼻香。」中的「一番」亦指一次，但時間較長。「宋．辛棄疾．摸魚兒」：「更能消幾番風雨，匆匆春又歸去。」中的「幾番」是指多次。「番」亦指「甘肅」、「四川」、「雲南」、「貴州」等地邊境之民族。「番番」（音婆婆）與「皤皤」同，是髮白貌，亦指「勇武」．「詩經．大雅．崧高」：「申伯番番」。「申伯」是中國之君，周宣王之舅。

◆今意

「番」之本義早失，所移用之「更替」、「次數」等仍沿用之，而「番人」是指蠻夷之人，有鄙意，故已少用。「番休」是輪流休假，現常「輪番」合用，更能表達「輪流」之義，如球賽中的「輪番上陣」，「番薯」是在明朝時由中美洲引入中國，「番茄」、「番鴨」均係由南美洲引入，「番僧」是指西域之僧，但「番」有鄙意，故最好不用。廣東有番禺縣，應唸（潘予），不要唸錯。

當今社會還是有極少數的人對外來的人稱「番人」、「番仔」，也許是他們書念得不多，但希望他們在心裡上不要有貶意，而能多付出點善意！

行楷

甲骨文

金文

小篆

行書

甲骨文：上面是一個「酉」字，是指酒瓶（罇），瓶下的一橫代表一個平台或一張祭祀用的桌子，以酒祭祀亡者，是個會意字。

金文：由甲骨文演變而來，底部又多了個支撐。

小篆：上部變成了「酉」字，「酉」即「酒」也，下部變成「丌（音基）」，基墊，祭祀用之墊物也。

楷書：由小篆字形演變而來，「丌」變「大」字。

奠之簡化字與繁體字相同。

◆古義

《說文》：「奠、置祭也，從酋。酋，酒也，下其丌也。」「置祭」者，備置酒食而祭也。「詩經．召南．采蘋」：「于以奠之？宗室牖下。」「于以」是「在何處？」「宗室」指「宗廟」，「牖（音友）」是「窗」，在何處供奉置祭？是在宗廟的窗下。古時，大夫士「祭」於宗室，「奠」於牖下。故知「奠」之本義為「祭祀亡者」。引申為「獻」，古時宮闈蠶事畢，有獻繭之禮，「宮闈」是宮廷后妃之居處，蠶兒吐絲結繭後所舉行的獻繭之禮也。亦引申為「定」，「尚書．禹貢」：「奠高山大川。」「漢，揚雄」：「法言．寡見」：「奠枕於京。」均「安靖」、「安定」、「奠定」之義也。「唐元稹．遣悲懷」：「今日俸錢過十萬，與君營奠復營齋。」如今生活改善，汝未能享福，就多點祭祀吧！

◆今意

今之「奠」仍多用於建築物的「奠基」、「安定」為主旨的「奠定」、制度規章等的「奠立」，及追悼亡者之義。對一般親友的追悼，亦不用準備豐富的酒食，有的送個大花圈，中間一個大「奠」字，即表「祭」之義也！其實生前不重視，死後再豐盛，何享之有？「宋．高菊磵．清明」：「人生有酒須當醉，一滴何曾到九泉！」元稹之妻韋蕙叢生前勤儉持家，勞苦一生，死後祭祀再豐，如何享之？是故為人子女者，在父母有生之年多盡點孝道吧！莫待其百年之後才豐盛以對，最後都是自己吃了！

行楷

金文

小篆

行書

金文：頂上是個「辛」，表示刑刀，刀下是個「目」，表示眼睛，以刑刀刺瞎罪犯的眼睛，使其為奴，下端是「東」，表聲，是個形聲字。

小篆：由今文演變而來，把被刺的眼睛拿掉，以免太殘忍，東下加土，表示跪地之義。

楷書：由小篆字形演變而來，辛刀變成「立」字，已無行刑刺眼為奴之形。

童之簡化字與繁體字相同。

◆古義

古時男有辠曰奴，男奴曰童，女奴曰妾，「辠」音「罪」，即犯法也，有罪也，「辠」是「罪」的古字，秦朝時，因「辠」與「皇」字極為接近、相似，故改「辠」為「罪」。犯罪的男女均判為奴隸，故「童」之本義為「奴隸」。「易經．旅卦．象曰」：「得童僕貞，終無尤也。」得到忠貞的童僕，終無怨尤也。當社會慢慢脫離奴隸制後，「童」即引申為未成年之兒童，古時十五歲以下稱「童子」。「詩經．衛風．芄蘭」：「芄蘭之支，童子佩觿。」「芄蘭」是草名，「觿（音西）」是解結的錐具，亦可當佩飾，芄蘭草的枝很細！童子佩上了解結的錐具，亦引申為牛羊之無角者曰「童」，山無草木曰童山，草木如山之頭髮，人之頭頂無髮是禿頭，常被戲稱為「童山濯濯」！

◆今意

今之「童」已非古之「奴」，而是可愛的「兒童」，兒童的「童言稚語」常引人「莞爾」，即使說話不貼切、不洽當，亦被釋為「童言童語」、「童言無忌」也！凡十九歲以下之未成年者稱「童子」，如予細分，十二歲以下稱兒童，十三至十九歲為「童子」，十五至十八歲從事勞動工作者稱「童工」。古之「童僕」，今書「僮僕」，「僮」是被使喚者也，與「童」有別。「童貞」是指處女或處女的貞操，「童真」是指童子未破身也。「童真」亦是沙彌的別名。古「童」通「瞳」，「童子」即指目之眸子，今已不互用矣！

行楷

金文

石文

小篆

行書

金文：左上是個「彳（音斥）」，是行動符號，右上是一隻手，手下是一條獸類的尾巴，下方是腳「止」，以行動用手捕獸，是個會意字。

石文：「彳」與「止」變成了「走之」旁的「辵（音綽）」部，右邊的手已牢牢抓住了獸類的尾巴。

小篆：與石文寫法相同。

楷書：由小篆演變而來，「辵」部寫成「走之—辶」旁。

逮之簡化字與繁體字相同。

◆古義

《說文》：「逮，及也。」「及」者，逮也、到位也、達到也。人或物在前，追而取之曰「逮」，「漢書・高帝紀」：「貫高等謀逆事發，竟逮捕高等。」「漢書・形法志」：「太倉令淳于公有罪，當刑詔獄，逮繫長安。」下詔令獄吏逮捕並押解長安拘禁也。故知逮之本義為「逮捕」。引申為「及」也，「到達」、「達到」也，「詩經・周南・樛木序」：「樛木，后妃逮下也。」「逮下」是恩惠達到於下層也。「左傳・哀公六年」：「逮夜至於齊。」到了晚上，來到齊國。「逮逮（音地地）」是指儀容安和的樣子，「禮記・孔子閒居」：「威儀逮逮。」孔子閒暇家居之時，尊嚴的儀容中有安和之貌。「逮」亦與「迨」通，「迨」者，及也，等到也。

◆今意

「逮」按照現在的意思就是「捉拿」、「捉捕」、「抓住」等，目標在前，追而取之稱「逮（音代）捕」，這是指未抓到人前，抓到人後，一般習慣說「已逮（音歹）住了。」「已逮（音歹）捕歸案。」故可從語音「逮（音代或歹）聽出該犯罪行為人是否就逮（音歹）？」「逮捕令」是法院或治安機關對尚未到案的犯罪嫌疑人所簽發的逮捕命令，現在則多稱「通緝令」。四川人在請客用餐前，常會舉起筷子邀客人用餐說：「開逮了」！是俗用的戲詞，「以筷逮菜」之謂也！

行楷

甲骨文

金文

小篆

行書

甲骨文：上半部是張「網」，下半部是個「貝」，以「網」取「貝」，做買賣網取利益也，是個會意字。

金文：與甲骨文相似，其義亦同。

小篆：「網」把「貝」整個包住，其義不變。

楷書：由小篆演變而來，「網」變成了「四」字。

簡化字：「买」：依草書之筆法簡化而來。

◆古義

《說文》：「買，市也。」「市」者，指做買賣的地方。物出為「賣」，物入為「買」，「貝」是古代的交易貨幣，物物交換後即進入貨幣買賣的時代，故知「買」之本義為「張網取貝」，不論買與賣，均各取所需，各獲其利也！除了生活必需品的買賣外，尚有「買文章」、「買鄰居」、「買官」等。「宋．辛棄疾．摸魚兒」：「千金縱買相如賦，脈脈此情誰訴？」漢武帝時，陳皇后失寵，奉黃金百斤請蜀郡司馬相如作長門賦傾訴被貶長門宮後仍思之甚也，帝讀之，復得幸！「南史．呂僧珍傳」：「宋季雅罷南康郡，市宅居僧珍宅側。僧珍問宅價，曰：一千一百萬。怪其貴，季雅曰：一百萬買宅，千萬買鄰。」後人以買個好鄰居是「千金難買」之事！古時有錢的商人，可捐納一筆錢給政府，換個官做，俗稱「買官」或「捐官」。另「買舟」是雇船，「買山」是歸隱，「買春」是買酒，「春」是酒名之一。

◆今意

買賣是交易，俗稱做生意，有買就有賣，否則會造成資金堆積，周轉不靈，除非存有「囤積居奇」之心。只買不賣者只有家庭民生的必需品，消耗品等，有些藝術品是供欣賞、收藏的，短時間不會出售。現在交易的行為中尚有「買空賣空」的投機買賣，在合法的交易所中稱「空盤」，反之則有欺騙之嫌！做生意要和氣，有信用、有商譽，「一棒槌」的買賣不叫做生意，叫「殺雞取卵」，「買賣不成仁義在」！做生意要有良心！

買東西送人是門學問，買別人需要的、想要的、喜歡的會讓人窩心，讓人嫌棄的、不屑的，自己窩囊，要做到送受皆悅，實不易也！

行楷

甲骨文

金文

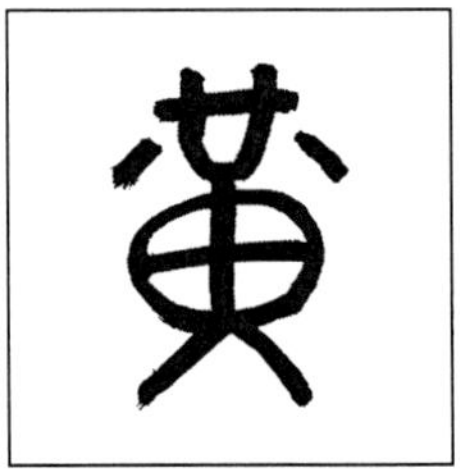

小篆

行書

甲骨文：像是一個正面站立的人，胸前掛了一個像「璜」的玉珮，「黃」是「璜」的本字，後借表顏色，則另加「玉」旁為「璜」，是個象形字。

金文：由甲骨文演變而來，頂端多了一個髮髻形。

小篆：與金文形體相似。

楷書：玉佩由圓形變成方形，是楷書的筆法。

黃之簡化字與繁體字相同。

◆古義

《「黃」是「璜」的本字。《說文》：「璜，半壁也。」「璜」即「玦」亦即玉佩也，是其本義。後「黃」被借用於顏色，則另加「玉」旁為「璜」。《說文》：「黃，地之色也。」土地的顏色是黃色。「易經．坤卦」：「夫玄黃者，天地之雜也，天玄而地黃。」「玄黃」是「天地」的別稱，天色為黑，地色為黃。「易經．坤卦」：「黃裳，元吉。」穿上黃色衣裳，甚為吉祥。古時以黃色為正色。「詩經．邶風．綠衣」：「綠兮衣兮，綠衣黃裳。」「裳」是「裙」，穿綠色的上衣，黃色的下裳。綠是間色，黃是正色。「黃老」是指「黃帝」與「老子」。黃、老為道家之祖，故稱道家曰黃老。「黃老之術」是指無為而治的道家思想。古時皇帝下詔書，由各省督府以黃紙謄寫，須行所屬州縣，謂之「謄黃」，皇帝之龍袍是「黃色」，宋太祖趙匡胤為太尉時，陳橋兵變，眾將擁立，黃袍加身登帝位。

◆今意

「黃」被借用為顏色後，至今未變，「黃」字用法亦極有趣，可用於正負兩面，如稻麥黃了，就是快收成了，但樹葉黃了就是快落了。事情做不成常說：「這事兒可能要黃了。」以不當手段取得物品，再高價轉賣的人稱「黃牛」，「黃口」指小孩，但「黃髮」卻指老人，「黃道吉日」、「黃金時代」是正面詞，「黃臉婆」、「黃色刊物」卻相反！常聽人說：「我姓黃，草頭黃。」其實「黃」非草頭。另「木易楊」應為「木昜（音洋）楊」也！

梅子成熟的時候稱「黃梅」，約在每年春夏交替之時，這個時候下的雨稱「黃梅雨」，亦稱「梅雨」。每年如果沒有梅雨的滋潤，夏秋之後可能就會缺水囉！

行楷

金文

小篆

行書

金文：象一朵花的樣子，上面是盛開的花形，下面是花梗與花莖，「華」是「花」的本字，是個象形字。

小篆：由金文演變而來，花與花梗等都有變化。

楷書：由小篆字形演變而來，花形上加了「草字頭」，已看不出花形的樣子。

簡化字：「华」：上半部取「化」的音，並取原字的下半部「十」，以簡化之。

◆古義

《說文》：「華，榮也。」「呂氏春秋」注：「是月生葉，故曰始華。」「華」乃發榮也。「爾雅．釋草」：「木謂之華，草謂之榮。」即樹木開的花為「華」，草開的花稱「榮」。「詩經．周南．桃夭」：「桃之夭夭，灼灼其華。」「夭夭」是美麗而茂盛，「灼灼」指紅艷，桃樹長得美麗而茂盛，花兒開得火紅艷麗。「華」是「花」的本字，故知「華」之本義為「花」。引申為景色明亮曰「光華」，另凡繪畫五色必有光華，故文采畫飾亦稱「華」。其反義則稱「浮華」、「虛華」。花有多種顏色，故黑白相雜的頭髮稱「華髮」，「蘇軾．念奴嬌」：「故國神遊，多情應笑我，早生華髮。」「華年」是指「少年」。「李商隱．錦瑟」：「錦瑟無端五十絃，一絃一柱思華年。」中國古稱「華夏」，地區分東、南、西、北、中，故以華東、華西、華南、華北、華中等稱之。

◆今意

「華」與「花」今已分用，少數仍有沿用者，如「華甲」與「花甲」均都六十歲，但「花押」現則習慣用「畫押」，「華勝」是古時婦女的首飾，亦稱「花勝」，今已不常用之！「華誕」是尊稱別人的生日，「華翰」是尊稱他人的書信，「華燈初上」是城市夜幕低垂的美景，「華而不實」指有名無實或詞藻華麗但內容空洞！「華屋山丘」是出自曹植的詩，指豪宅瞬間變成山丘，比喻興亡盛衰在轉瞬間也，今已少用矣！

行楷

甲骨文

籀文

小篆

行書

甲骨文：左上方是成熟而又顆粒飽滿的穀子，右上方是一隻手在摘取，下方是一棵直挺的禾桿，是個象形字。

籀文：上面變成三個像鳥巢一樣的簍子，可以裝「粟」實，下面的「禾桿」變成了「米」字。

小篆：上面的鳥巢簡化為一個，下面米字不變。

楷書：上端由象形的鳥巢變為文字的「西」字，「西」之本義為「棲」，是甲骨文鳥巢之形。

粟之簡化字與繁體字相同。

◆古義

《說文》：「粟，嘉穀實也。」粟乃禾本科，果實小粒，俗稱小米。「本草綱目」：「古者以粟為黍、稷、梁、秫之總稱。」黍：有黏性的穀物，北方的秋糧。稷：種子為白色，與黍同類，性較不黏。梁：即高梁，與稷同，北方的雜糧。秫：性黏的高梁，北方稱黃米，可釀酒。「粟」是古時當官的俸祿之一，故亦引申為「俸祿」。「史記．伯夷傳」：「義不食周粟。」最終商朝伯夷、叔齊兩兄弟餓死在首陽山。因「粟」細小，故亦引申為「沙」粒，「山海經．南山經」：「柜山有英水，中多丹粟。」另以「粟」之小比喻「海」之大也。「蘇軾．前赤壁賦」：「寄蜉蝣於天地，渺蒼海之一粟。」粟粒入海，不可尋也。

◆今意

一般來說，南方人以米食為主，北方人以麵食為主，「粟」是北方的糧食之一，南方以之為主食者並不多，至今雖飲食多元化，但想喝碗小米粥還是得上北方館子。有兩句成語至今已少用之。「粟多馬瘦」比喻說要給，但不給，口惠而實不至也！「粟紅貫朽」是指粟糧太多，吃不完放至變紅發霉，穿錢的繩索放太久而腐爛，錢多得用不完，形容國強民富，穀豐錢饒之謂也！

「粟」是古時的俸祿之一，現在都以錢幣支付。「粟」是此方產的雜糧，南方則以稻米為主，因南北氣候不同，穀物自有差異！

行楷

甲骨文

金文

小篆

行書

甲骨文：左邊是一支豎起的筆，下面的x形表示筆頭，右邊是一隻手形，以手執筆寫字之義，故為會意字。

金文：由甲骨文演變而來，手與筆合在一起。

小篆：由金文演變而來，惟筆頭的部分多了一橫，像是固定筆毛之義。

楷書：由小篆字形轉化而來，上端加了「竹頭」，表示筆身是用竹子做的。

簡寫：「笔」：是「筆」字的簡寫或俗寫，簡化字亦用之。蓋因筆乃「竹」與「毛」合製而成也。

◆古義

《「筆」之本字為「聿」，秦時以竹為管，故加「竹」為「筆」，「釋名」：「筆，述也，述事而書之也。」《說文》：「楚謂之聿，吳人謂之不律，燕謂之弗，秦謂之筆。」古時不論用竹或用木為管，以鹿毛為柱，羊毛為被，只要能沾墨寫字者，均稱筆。秦併六國後，蒙恬以兔毫竹管為筆，謂之秦筆，或謂蒙恬造筆，實有「掠古人之美」之嫌也。古之記事書於簡冊，若有錯誤，則以刀削除之，因其不可分，故將二者合稱「刀筆」。「國策・秦策」：「臣少為秦刀笔。」笔乃「筆」之簡寫字也。又因筆力如刀，可以殺人，俗稱訟師為「刀筆吏」也。架筆之具稱「筆架」，洗筆的小盆稱「筆洗」，唐・懷素自言得草聖三昧後，棄筆埋於山下，號曰「筆冢」。

◆今意

今之「筆」五花八門，種類極多惟獨毛筆已漸式微，僅限於書法愛好者仍眷顧之，晉代衛夫人作有「筆陣圖」，王羲之作有「提筆陣圖後」闡述書法運筆雄健而有法度，而今人重視者幾稀！今之韓國、日本對書法仍極重視，反觀我國不禁唏噓，嘗喟而嘆曰：「禮失求諸野，不久後，我們可能要到日、韓去學習書法啦！」印度是佛教的發源地，如今研究佛學要到中國取經，豈不一大諷刺！

每當文思枯竭，窗前院內小佇，視野思緒流轉，靈動忽攸頓悟，此時返身執筆，下筆如有神助！

行楷

甲骨文

小篆

行書

甲骨文：左邊是一支箭，箭下一橫表示土地，箭插在此地表示「至」、「到」也，右邊是一個面朝左，頭髮稀疏，彎腰拄杖的老人，表示人到老年之義，是個會意字。

小篆：上面是老人的形象，箭移到老人的下方，原為左右字形變為上下字形，其義不變。

楷書：由小篆字形演變而來，「老至」也，仍符原義。

耋之簡化字與繁體字相同。

◆古義

《說文》：「年八十曰耋。」「爾雅．釋言」：「耋，鐵也，老人面色如生鐵，有七十或八十稱者，無正訓也。」「左傳」正義又引舍人云：「年六十稱也。」故「耋」有六十、七十、八十各種不同說法。「詩經．秦風．車鄰」：「今者不樂，逝者其耋。」「逝者」指往後、將來，現在不享樂，將來到七八十歲就老囉！「耋」與「耄」常連用為「耄耋」。《說文》：「年九十曰耄。」「禮記．曲禮」：「八十九十曰耄。」「詩經．大雅．板」：「匪我言耄，爾用憂謔。」不是我倚老賣老，是你用憂愁當玩笑。「耄」與「耋」沒有一個嚴格的標準說法，一般來說，八十、九十稱耄，七十叫耋，「耄齡之年」則泛指七十歲以上的高齡老人。

◆今意

古人嘗云：「人生七十古來稀。」現在則說：「人生七十才開始。」現在醫藥發達，知識水準提高，大家都極重視養生與保健，故已進入高齡社會的結構，稱得上「耄齡之年」的人比比皆是，可說已達「耄期之齡」。百歲曰「期頤」，人生以百年為「期」，故百歲稱「期」，清朝時，如夫妻同登百歲，皇帝常頒「期頤偕老」四字賀勉之，今日已非皇帝專利，普通百姓對百歲人瑞均可以「期頤」為祝！未滿百歲者勿用之也！

行楷

甲骨文

金文

小篆

行書

甲骨文：上半部的右邊是一個面朝左的人，張大了嘴巴，左邊是從口裡滴下的口水，下半部是個「舟」形，口水多，需以舟載之，是個會意字。

金文：上半部左方兩滴口水變成流水形，下方的「舟」形變成「器皿」，皿上還加了個「火」字。

小篆：流水簡化了，皿上之「火」也去掉了。

楷書：由小篆之筆法轉換而來，已無「垂涎」之態。

楷書：大陸通用寫法，左上方以兩點表之，符合甲骨文「垂涎」之古義。

◆古義

《說文》：「盜，私利物也。」因一己之私，對非屬己物垂涎三尺，與佔有之私慾，而偷竊據之。故凡陰私自立者，皆謂之盜。「穀梁傳．哀公四年」：「春秋有三盜，微殺大夫謂之盜，非所取而取之謂之盜，辟中國之正道以襲利謂之盜。」「荀子．修身」：「竊貨曰盜。」是屬於春秋三盜之第二盜。即用不正常手段或明或暗，取得財物或利益。進讒言之小人，其言行為謀取一己之私者，亦為「盜」，「詩經．小雅．巧言」：「君子信盜，亂是用暴。」君子輕信小人的讒言，災禍因而更劇，「盜墓」是掘墓盜物。「盜汗」是睡覺時全身出冷汗。

◆今意

古之「盜」是晝伏夜奔，逃避人也，光天化日用暴力搶劫財物稱「強盜」，現今劫掠財物者為「盜」，竊取財務者為「賊」。未經所有權人同意而私自拷貝其錄音帶或光碟片等稱「盜拷」，棒球遊戲中，壘上的人利用機會跑上次壘稱「盜壘」，這種「盜」壘在比賽中常被讚譽為傑作。「賊」亦有用於讚譽之詞，如「你把窗戶擦得賊亮的！」，不論如何，「盜賊」一詞至今已有些許變化，但千萬別「盜領公款」、「盜賣公物」！

行楷

甲骨文

金文

小篆

行書

甲骨文：頂上正中央是一支筆，筆的右邊是一隻手，手執筆畫出下面的圖案，圖案像花、魚、田地等，表意，是個會意字。

金文：上半部手執筆已結合在一起，下半部交叉的線形即為畫「田」的界線。

小篆：由金文演變而來，田的界線變成四面。

楷書：由小篆演變而來，田的左右界線已省略。

簡化字：「画」：以小篆下半部的筆畫簡化之。

◆古義

「畫」者，區分也，畫分界限也。「左傳．襄公四年」：「芒芒禹迹，畫為九州。」大禹把當年所走過的廣大土地，畫分為九個州，即九個行政區，後為「中國」之代稱。「陸游．示兒詩」：「死去元知萬事空，但悲不見九州同。」「論語．雍也」：「力不足者，中道而廢，今女畫。」力量不夠，雖中途而廢，也算盡力，而你卻畫地自限，跑都不跑！故知「畫」之本義為「畫分」也。「爾雅．釋言」：「畫，形也。」畫出其形象也，如山水、花鳥、人物、動物、地圖等。引申為前置作業的「計畫」、「策畫」。古有張敞「畫眉」之樂。在契約上簽名稱「畫押」。裝飾華麗的遊船稱「畫舫」。字的筆畫有勁兒稱「鐵畫銀鈎」。

◆今意

古之「畫分」用筆，後因有雕刻而將「畫」加刀旁為「劃」，以與古有別，故今之「劃分」、「劃定」、「劃歸」等均用「劃」，另金融機構設有「劃撥帳號」便於存款人匯兑。自此「畫」字則專用於「計畫」、「繪畫」，但千萬記住一句話：「計畫不用刀」，「計畫」絕不能寫成「計劃」，另「策畫」亦同。除此之外，則常用於繪畫方面，如「畫家」、「畫展」、「畫廊」等。另機關首長在簽呈稿上批示可行，稱為「畫行」。

小時候不認真寫字，不好好做功課，常被父親斥為「鬼畫符」，鬼畫的符咒是沒人看得懂的！

行楷

金文

小篆

行書

金文：左上方是個「阜」旁，表示高山，右上方是個腳趾，在爬階梯，下方是個土字，在土上又有隆起的高山，是個會意字。

小篆：左仍為「阜」字，右旁兩個腳趾下方的「土」字變成了「生」字。

楷書：由小篆字形演變而來。

隆之簡化字與繁體字相同。

◆古義

《說文》：「隆，豐大也。」高大之謂。「爾雅．釋山」：「上正，章。宛中，隆。」山頂上平廣的稱「章」，中間高而四周低的山稱「隆」。依金文字形得知，土上又有高山，增高亦曰「隆」，故知「隆」之本義為「高大的山峰」。引申為「盛」、「多」義。「玉篇」：「隆，盛也。」「禮記．檀弓」：「道隆則從而隆，道汙則從而汙。」「道」乃日常當行之理，「隆」指高、厚，「汙」指降、減，「子思」認為喪制之厚薄增減，應與「道」為進退也。亦引申為「尊」。「荀子．致仕」：「君者，國之隆也。」「隆」猶尊也。亦有長、成就之義。「漢書．王莽傳」：「臣莽夙夜養育，隆就孺子。」成就之，使其長大也！「隆冬」是指盛冬，最嚴寒之時，「歐陽修．臨終詩」：「松柏隆冬悴，然後知歲寒。」比喻人到暮年，亦如松柏在寒冬中般憔悴，老已至也！

◆今意

「隆」之本義至今未變，高起而又突出稱「隆起」，高而挺的鼻子稱「隆準」，現在很多愛美的人去作「隆鼻」的美容手術。「隆重」是指盛大而重要，常用於重要的典禮、儀式、會議等。「隆隆」連用是指高分貝的聲音。亦多用於興盛，如「政治之隆汙」是指興盛與腐敗。春節時，常見商家貼的春聯：「生意興隆通四海，財源茂盛達三江。」「興隆」對「茂盛」對仗工整。看古裝劇，常會聽到「謝主隆恩。」隆是厚的意思，如我們常用「隆情厚誼」感謝別人，那是指別人對我的情誼至為深厚也！

行楷

金文

小篆

行書

金文：左邊是個「足」，是用腳走路的意思，右邊是「各」，表聲，「路」讀音為「洛」，古亦通落，是個形聲字。

小篆：與金文相似，是篆字的筆法。

楷書：由小篆字形演變而來。

路之簡化字與繁體字相同。

◆古義

《說文》：「路，道也。」人、車據以通行者也，「禮記．月令」：「三月開通道路，無有障塞。」有障礙之路，人車難行。「國語．周語」：「國人莫敢言，道路以目。」國人不敢吱聲，路上相見，以目示意之謂。「唐．杜牧．清明」：「清明時節雨紛紛，路上行人欲斷魂。」泥濘之路難行也，故知「路」之本義為人車所行之「道路」也。「路」可行車，故引申為「車」，「左傳．宣公十二年」：「篳路藍縷，以啟山林。」「篳路」是「柴車」，「藍縷」指破舊之衣，駕柴車，穿破衣，開闢山林也。「詩經．魏風．汾沮洳」：「美無度，殊異乎公路。」「公路」是管理君王「路車」之官，美得無法比啊，他比那路車之官還要好！「車」能行，路必大，故引申為「路大」。「詩經．大雅．生民」：「實覃實訏，厥聲載路。」「覃」是「長」，「訏」是「大」，哭聲又長又大，響徹整條大路。「路」亦與「露」通，有「頹敗」、「羸弱」之義。

◆今意

「路」為人與車馬所行之「道路」的本義，迄今未變，今人亦慣稱「馬路」，另有火車行走的「鐵路」、商品行銷的「通路」等。每個人的一生都有自己須要走的路，路是有心人走出來的，所謂「逢山開路，遇水架橋。」人要走正路，歹路、邪路都是「不歸路」，「夜路走多了，總會碰到鬼。」是提醒人不要做虧心事，「路不拾遺，夜不閉戶」是善良百姓理想的安祥社會。「韓愈」：「一封朝奏九重天，夕貶潮陽路八千。」是邁向人生盡頭的長路，「岳飛」：「三十功名塵與土，八千里路雲和月。」是盡忠報國的路，卻有被奸臣陷害的悲涼！

行楷

甲骨文

金文

小篆

行書

甲骨文：左邊是一道流水之形，右邊是一隻鳥形，下方是一個方形的「口」，表示水澤，流水堵塞而成澤，鳥棲息於此也，是個會意字。

金文：左邊的流水更形象化，將水澤放在流水下方，義更明顯，右邊的鳥形更象形。

小篆：左邊水下變成都邑的「邑」，有水之處，不僅宜鳥棲息，亦宜人居。

楷書：其本字為「雝」，同於小篆，古文寫法是將「鳥」去掉寫成「邕」，後均以「雍」為正楷字。

雍之簡化字與繁體字相同。

◆古義

《說文》：「雝（雍），雍渠也。」雍渠是鶺鴒鳥的別名，屬燕雀類，體長約十五公分，額白背黑，棲於水濱，故知「雍」之本義「雍渠」鳥。因「此鳥喜飛鳴作聲，其音邕邕而和」，故引申為「和順」、「和諧」等義，「玉篇」：「雍，和也。」「詩經·召南·何彼襛矣」：「曷不肅雝？王姬之車。」怎麼不莊嚴和祥呢？王姬下嫁諸侯，人美車容亦盛也！由「和諧」引申為「奏樂」，「淮南子·主術」：「奏雍而徹。」食畢時，奏起雍樂，以撤膳食也！孔子曾譏諷魯大夫孟孫、叔孫、季孫三家人，撤祭品收祭具時，竟奏起天子所用的音樂。「論語·八佾」：「三家者，以雍徹。」「雍」亦古九州之一，在今甘、陝西北及青海等地，亦通「壅」，「塞也」、「聚也」！

◆今意

「雍」之古義已不存，「雍塞」多用「壅塞」，「雍抱」亦用「擁抱」，均各有其專字，但形容下情受阻塞，不能上達時，仍用「雍於上聞」，現在「雍」仍多用於「和順」、「和諧」，如「家庭雍睦」，「感情雍穆」，亦用於形容儀態高雅端莊，如「雍容華貴」、「雍容雅步」等。「雍雍」亦指和順的樣子，如「鸞鳳和鳴，肅肅雍雍。」現在看到「雍」字，立刻會想起「雍正王朝」和「雍和宮」，如說「清世宗」，可能無人知也！

「雍州」是古九州之一，現已無州，都畫為省了。

行楷

金文

小篆

行書

金文：中間是個日，表示太陽，上下各有三條線，表示牆壁有裂縫，光線從縫隙之中射入，是個象形字。

小篆：左邊加了「阜」旁，表示山隙，山隙與壁隙皆指光線之射入也。

楷書：（俗寫為隙）由小篆字形轉換而來，三條光線變成小字。

隙之簡化字與繁體字相同。

◆古義

《說文》：「隙，壁際孔也。」「段玉裁」註：「自分而合言際，自合而分言隙。」牆壁因龜裂而產生的裂縫稱隙。「左傳·昭公元年」：「牆之隙壞，誰之咎也。」故知「隙」之本義為「裂縫」。瓦器的裂縫稱「罅（音夏）隙」，亦比喻做事不完美，有缺點。因縫中有空間，引申為「空著的」。「左傳·哀公十二年」：「宋鄭之間，有隙地焉。」兩國之間還有空閒之地。亦引申為「空閒之時」。「左傳·隱公五年」：「皆於農隙以講事。」都選在農閒之時從事訓練等活動。由裂縫引申為怨恨。「史記·樊噲傳」：「大王今日至聽小人之言，與沛公有隙。」因裂縫必顯於牆的兩面，引申為「接近」。「漢書·地理志」：「北隙烏丸、夫餘。」北邊接近屋丸和夫餘這兩個民族。

◆今意

「𡭴」、「隙」（中間是白字）是古「隙」字，「隙」亦是「隙」（上面是少字）的本字，現在通俗的寫法為「隙」。常用於「白駒過隙」，語出「莊子·知北游」：「人生天地之間，若白駒之過隙，忽然而已。」形容光陰似箭，如駿馬在細小的縫隙飛快穿過。「與人有隙」是指跟別人有嫌怨。因嫌疑別人而產生之仇隙稱「嫌隙」。這是在群體社會，人與人之間的交往中，經常發生的事，若沒有一顆包容、體諒的心，加之嫉妒之心又強，見不得別人好，就會與人產生嫌隙，日子愈久，嫌隙就會愈大，還要多修合群的學分啦！

行楷

甲骨文

金文

小篆

行書

甲骨文：頂部是兩個腳趾，表示兩隻腳，中間是個「豆」，表示食器，食器下左右有一雙手在托起器皿，用腳登上祭台，是個會意字。

金文：「趾」與「手」均較甲骨文簡化了些。

小篆：頂的「趾」形「字形」化了。下方的手形卻不見了。

楷書：由小篆字形演變而來，收在「豆」部，是指「禮器」。

楷書：是在「癶（音鉢）」部，升也、登高也。

登之簡化字與繁體字相同。

◆古義

「登」與「登」是兩個不同的字，《說文》：「登，禮器也。」「詩經．大雅．生民」：「卬盛于豆，于豆于登。」參閱「豆」字篇，用於祭祀的禮器。至於「登」：「爾雅．釋詁」：「登，陞也，成也。」「玉篇」：「上也，進也。」往上升高之義也。「詩經．大雅．皇矣」：「無然歆羨，誕先登于岸。」「歆羨」是貪婪，「誕」是語助詞。不要太貪婪，要先攀上高岸。攀上金榜曰「登科」，古科舉時代，考試之年曰「科」，榜上有名者曰「登科」或「登第」。皇帝即位曰「登極」，「極」者，升至最高也！齊費長房謂桓景曰：「九月九日令家人縫囊盛茱萸繫臂上，登山飲菊花酒，可避災禍。」後人遂以該日為「登高日」。「登」亦「成」也、「熟」也，「孟子．滕文公上」：「五穀不登。」五穀尚未成熟也。亦有「登載」之義，「周禮．秋官．司民」：「掌登萬民之數。」司民官掌管登載百姓人數之事。

◆今意

古時以陰曆九月初九為「重陽日」，亦稱「重九日」，蓋因「九」為陽數而稱之，是日繫茱萸囊於臂，登山暢飲菊花酒，以消災厄。民國十九年，國民政府訂陽曆九月九日為「重九節」，廢「重陽」之稱。為何要廢「重陽」之稱，因為「三、三」、「五、五」、「七、七」等均可稱「重陽」。近年台灣社會興起敬老運動，九月九日各縣市政府都會舉辦活動，並贈慰問金（品）等，唯舉辦日選陰曆或陽曆，各有不同，或許對「重陽」、「重九」之認知各有不同吧！菊花是陰曆九月才開，或許以陰曆較宜。但其立意卻值得推廣、傳承，不限於避開災厄也！

行楷

甲骨文

金文

小篆

行書

甲骨文：像在雲層裡出現一道曲折的電光，由天空折曳至地，上下各有一小曲光，夜晚的閃電其電光更清晰，是個象形字。

金文：上半部加了天空與雨滴，變成雨字，下半部仍是甲骨文之形，此時成了會意字。

小篆：由金文演變而來，上為「雨」字，下之電光形變為字形。

楷書：由小篆字形演變而來。

簡化字：「电」：將楷書的「雨」頭去掉，保留甲骨文的古義以簡化之。

◆古義

「電」的初文是「申」，「申」是電的本字，亦即甲骨文的象形體，古人認為打雷閃電是神靈顯現，故以「申」稱「神」，金文以後加「示」字邊為「神」，加「雨」字頭為「電」。《說文》：「電，陰陽激燿，從雨從申。」天空中帶有陰陽不同的兩塊雲接觸後所發之光稱電。「五經通義」：「電，雷光也。」陰陽交觸，所發之聲稱「雷」或「雷鳴」，所發之光稱「電」或「閃電」。「易經．豐卦」：「雷電皆至。」上震為雷，下離為電，兩者皆至，喻德行豐沛盛大，普照天下。「詩經．小雅．十月之交」：「爗爗震電，不寧不令。」「爗爗（音夜）」是閃電，「令」是善，閃電與雷聲大作，不安寧，亦非吉兆。

◆今意

「電」是現代人生活的必需品，如果電力公司停電一天，生活與工作的秩序都會大亂！從電氣化的時代重返點油燈和蠟燭的歲月，這日子沒人能過！現在電話已進步到「人手一機」，無遠弗屆，如果李白活在當下，絕對寫不出「舉杯邀明月，對影成三人。」因為手機一撥，就會有一群酒友相陪。張九齡的「思君如滿月，夜夜減清輝。」只要撥個電話，相思之苦即可稍解，王維的「君自故鄉來，應知故鄉事。」現在只要有電話，都能一清二楚啦！在外的遊子們，多打電話回家吧！

如果能夠視訊，就更能一解思親、思鄉之愁啦！

行楷

金文

小篆

行書

金文：上半部是大樹的枝幹，枝幹上的橫點代表樹葉，下半部是個「木」，代表大樹的軀幹，是個象形字。

小篆：由金文形體演變而來，頂端多了樹梢，像剛發出來的嫩葉，中為枝幹，下為軀幹。

楷書：由小篆形體演變而來。

簡體字：「叶」，「葉」的簡體字，「叶（音協）」亦是「協」的古字，因今韻、古韻多有不同，故改變今音以諧協古韻稱「叶韻」，因「叶」與「葉」音近，故為楷書的簡體字，亦為大陸使用的簡化字。

◆古義

《說文》：「葉，草木之葉也，從草，枼聲。」「枼（音葉）」者，㮘也，方木也，薄木片也，亦葉也。葉乃植物成長的重要部分，司呼吸、蒸發之職。故其本義為草木之葉。樹葉在春天發芽，夏天成長，秋天枯黃，冬天落盡。「淮南子．說山訓」：「以小明大，見一葉落而知歲之將暮。」比喻由小見大，見一片葉落而知秋天將至也。「葉」因輕薄，故比喻書之「一頁」為「一葉」，又因其輕小，故比喻小船為「一葉扁舟。」「葉」春來既發，故有「世代」之義，「詩經．商頌．長發」：「昔在中葉，有震有業。」「震」指動盪，「業」指危懼。昔日在殷商中世時期，天下有動盪不安，有危險恐懼。

◆今意

「葉」之本義迄今未變，其引申為「中葉」、「一葉扁舟」等今仍常用。「肺」如兩片葉子，故稱「肺葉」，眉細如柳，故稱「一葉柳眉」，葉子雖小，遮眼能蔽泰山，「鶡冠子．天則」：「夫耳之主聽，目之主明，一葉蔽目，不見泰山；兩豆塞耳，不聞雷霆。」故勿因物小而「視而不見」，凡事要「小處著眼，大處著手。」一件小事就可能讓你「功虧一簣」，葉雖小，聚多能遮陽，亦能蔽體、保暖。一片小葉，能獲極大啟發！

行楷

甲骨文

金文

小篆

行書

甲骨文：是一隻蠍子的形象，上端兩側是「蠍鉗」，中間是「蠍身」，下端是「蠍尾」，是個象形字。

金文：與甲骨文相似，尾部稍有變化。

小篆：由金文字形演變而來，上端仍像「蠍鉗」，中間仍像「蠍身」，尾巴則變得像「虫」形。

楷書：由小篆形體演變而來。

簡體字：「万」：古之簡體字，沿用至今。大陸地區亦用之為簡化字。

◆古義

《說文》：「萬，蟲也。」故小篆「萬」字的尾部變得像「虫」。最早之甲骨文是指蠍子，「通俗文」：「長尾為蠆，短尾為蠍。」「蠆（音瘥）」者，毒螫蟲也，故萬之本義為「毒蠍子」。「萬」被借用為數目字後，其本義已全然消失，而另以「蠆」形容「毒蟲」、「毒蠍」。「萬」在數目中是「千」的十進位，十個「千」為「萬」。「詩經．周頌．豐年」：「亦有高廩，萬億及秭。」「廩（音凜）」指糧倉，「秭（音子）」乃多得數不清之義。也有高大的糧倉，數目多得數不清啦！「萬乘」是古代皇帝的別稱，「乘」是計算車馬的名稱，「四馬一車」為「一乘」。「萬簽插架」指家中藏書很多。「唐．韓愈詩」：「鄴侯家多書，插架三萬軸。」「萬戶侯」是指極高的爵祿。「唐．李白．與韓荊州書」：「生不願封萬戶侯，但願一識韓荊州。」

◆今意

古時「萬」是形容數量很多的單位，如「腰纏萬貫」、「家財萬貫」等，現在的有錢人動輒以億、兆計，「萬」只是平凡百姓的身價。「尚書．泰誓上」：「惟天地萬物父母，惟人萬物之靈。」人類是萬物之中最高貴而又最聰明的，但卻有很多人不務正業，誤入歧途，聰明反被聰明誤。古人云：「萬般皆下品，惟有讀書高。」但「民國．王國維詩」說得更好：「萬事不如身手好，一生須惜少年時。」

我很喜歡「清．龔自珍」：「萬人叢中一握手，使我衣袖三年香」，能跟自己仰慕的人握握手，三年都留有餘香！

行楷

甲骨文

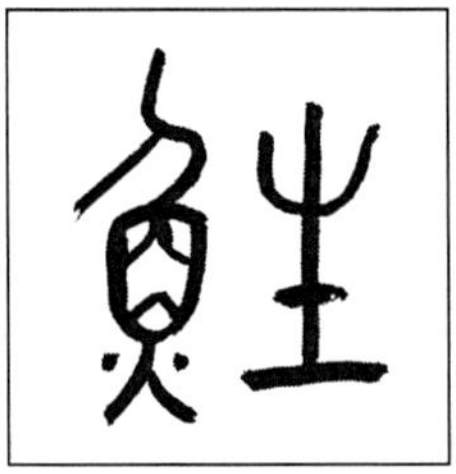

小篆

行書

甲骨文：上半部是個「自」字，表示鼻子，下半部是條魚的形狀，用「鼻子」聞到「魚」的臭氣，表示「腥」味很重，是個會意字。

小篆：左邊是個「魚」字，右邊是個「生」字，表聲，此時變成形聲字。

楷書：由小篆演變而來，早期楷書寫法之一。

通用楷書：除魚腥外，肉亦腥，故以肉偏旁，改「生」為「星」更具形聲之義，此後通用此字為「腥」。

腥之簡化字與繁體字相同。

◆古義

《說文》：「鮏（腥），魚臭也，從魚，生聲。」俗作「鯹」。因魚最容易發臭，故以「魚」為偏旁，但肉類亦易發臭，故以「肉（月）」旁通用之，「腥」之本義為「魚之臭味」，引申為「生肉」，因未煮熟的生肉容易發臭。「論語．鄉黨」：「君賜腥，必熟而薦之。」「腥」者，生肉也，「薦」者，祭祖也。君王賞賜的生肉，必定烹熟後才祭祀祖先。「尚書．酒誥」：「庶群自酒，腥聞在上。」指荒淫的紂王與群臣酗酒，腥穢之氣上達於天也。「腥臊」是指魚肉等的臭味，如「荀子．榮辱」：「鼻辨芬芳腥臊。」「腥羶」是指牛、羊等的羶臭味。「腥風血雨」是形容戰場殺戮慘烈，血濺如雨，屍橫遍野也！

◆今意

至今仍以「腥」形容臭味，人不愛腥，但貓兒特愛腥味，常喜偷吃魚以解饞，故戲稱喜愛在外拈花惹草偷吃的老公為「偷腥族」。牛羊肉有股「腥羶」味，很多人不敢吃羊肉，怕羶，但很多老饕特喜歡那股羶味兒，不羶還不吃啦！古時「腥」引申為生肉，今則，新鮮的生肉還不會腥臭，一旦放久了，異味一出，即腥不可聞也！君子之交淡如水，朋友間別走得太近了，否則易變質，有腥味！

行楷

金文

小篆

行書

金文：是朵盛開的花，上半部是花瓣，下半部是花萼，是個象形字。

小篆：由金文演變而來，花萼的形狀變成了「白」字，萼旁又增加了「巴」字，表聲，此時變成了形聲字。

楷書：由小篆字形轉換而來，已無花形。

葩之簡化字與繁體字相同。

◆古義

《說文》：「葩，華也。」「華」者，花也。古無花字，秦人稱花為「葩」，故「葩」為古「花」字。「嵇康．琴賦」：「迫而查之，若眾葩敷榮曜春風。」「迫」指走近觀察，「眾葩」是花叢中各式各樣的花朵。「張衡．西京賦」：「蔕倒茄於藻井，披紅葩之狎獵。」「蔕（音帝）」者，瓜當、果鼻也，瓜果之根蔕也，亦即花與枝莖相連處也。「狎獵」是指花葉茂盛，重疊參差。由花朵盛開引申為「華美」、「華麗」。文、物之美亦稱「葩」，「韓愈．進學解」：「詩正而葩。」「詩」指「詩經」，詩經所言，理直義正，詞藻美麗，故後人亦稱「詩經」為「葩經」。「葩華」是指盛而多的樣子。「張衡．思玄賦」：「百卉含葩。」「卉」是百草的總稱，亦即百花盛開之義。「馬．長笛賦」：「紛葩爛漫。」「紛葩」與「葩華」皆指盛多也！

◆今意

現在把「詩經」稱作「葩經」的很少，您說「葩經」可能沒人聽得懂，說「詩經」一聽就懂！「葩」仍指美麗的花朵，對珍貴不常見的花卉稱「奇葩異卉」。引申而言，對一些有特殊的表現或才能的人，常稱為「奇葩」，若揶揄某人鬧了笑話，或忽然腦袋瓜子打鐵，亦可稱其為「真是一朵奇葩」，此負面用法亦僅限用於「詼諧」處，不是好友，千萬別用，開不起玩笑的也別用，免得被認為是在羞辱他！

行楷

甲骨文

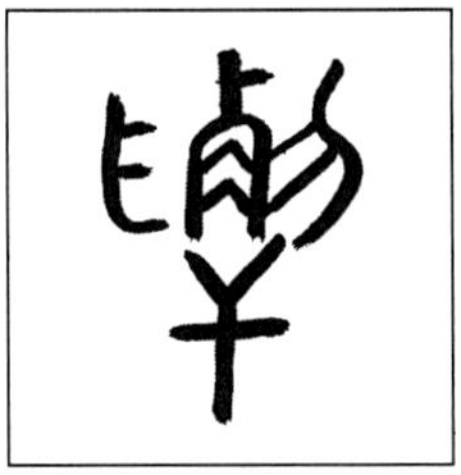
金文

小篆

行書

甲骨文：上半部的中間是個獸角，角旁的兩個小點代表血滴，左右兩邊是兩隻剖解獸角的手，下半部是個牛頭的形狀，表示剖解的是「牛角」，是個會意字。

金文：由甲骨文演變而來，較之簡單了些。

小篆：將字分為左右兩部，兩隻手變成了刀字，取「以刀剖解」之義也！

楷書：由小篆字形轉換而來。

解之簡化字與繁體字相同。

◆古義

《說文》：「解，判也，從刀，判牛角。」「判」是「分」也，用刀分物成兩半也，「解」是以「刀」將「牛」之「角」剖出之義。「莊子・養生主」：「庖丁為文惠君解牛。」「庖丁」是指負責廚膳的丁役。故知「解」之本義為將牛之角「剖出」也！由「剖出」引申為「離散」，「漢書・陳餘傳」：「恐天下解也。」民心離散也。亦引申為「脫去」、「除去」等義，「禮記・曲禮」：「解屨不敢當階。」「屨（音句）」是用麻編織的鞋，不在大庭廣眾之下脫鞋也。「解甲」指脫下作戰時的盔甲。亦有「施惠」之義，「史記・淮陰侯傳」：「漢王・・解衣衣我、推食食我。」亦即解衣推食之出處。亦引申為解開心中疑惑，曉悟、了解、解開等。怨仇亦可化解，謂之「和解」也！「解」當姓氏時念（謝），「解」亦通「懈」，「詩經・大雅・烝民」：「夙夜匪解，以事一人。」從早到晚都不敢懈怠，來侍奉君王。

◆今意

古時押解一個或兩個以上的犯人時，都將犯人雙手上銬或捆綁，所有犯人用繩索穿成一串。押送途中，犯人如果要大小便，需報差官，請求「解手」，即把雙手鬆開，俾以行事。「解手」遂成大小便的另稱。古時的科舉制度，鄉試稱「解試」，「解」音（介），鄉試第一名稱「解元」，現在已沒有這種考試制度了！「解語花」是唐時詞牌的名字，亦用於形容貌美之女子，今則常用於形容善解人意的女子！

行楷

金文

小篆

行書

金文：左邊是個「彳（音斥）」，是行動的符號，右上是兩條小舟，舟下有一個「口」，表示吆喝，右下方是腳「止」，亦表行動，口中吆喝，使船通過之謂，是個會意字。

小篆：「彳」與「止」成了「走之」旁的「辵（音綽）」部，兩條小舟的象形變成「咼」「音快—陰平」的字形。

楷書：由小篆演變而來，「辵」部寫成「走之—辶」旁。

簡體字：「过」：是楷書的簡體字，亦用之於簡化字。

◆古義

《說文》：「過，度也。」「度」通「渡」，即過也。「漢書．賈誼傳」：「猶渡江河，亡維楫。」「論語．憲問」：「子擊磬於衛，有荷蕢而過孔氏之門者。」孔子在衛國擊磬自娛，有一個擔著草器的人走過孔子門前，故知「過」之本義為「度過」、「經過」。引申為「越過」、「超過」，「論語．先進」：「子曰：師也過，商也不及，……過猶不及。」「師」是子張，才高意廣，「商」指子夏，謹慎拘泥，子張太超越，子夏未達標準，太超越如同未達標準，兩者的缺點是一樣的。亦引申為「過去」、「過往」，亦有「過失」、「過錯」之義，「論語．學而」：「過，則勿憚改。」有過錯，不要怕難而不去改。亦引申為「探訪」、「拜訪」，「唐．孟浩然」：「過故人莊詩」：「故人具雞黍，邀我至田家。」「過故人莊」即拜訪老朋友的村莊。「過」亦夏朝時諸侯之國名，後為少康所滅。

◆今意

孔老夫子告訴我們要「聞過則喜」，幾千年來能做到的沒幾個，絕大部分的人都是「聞過則怒」，就算不怒，臉色也不好看！「過猶不及」是很多人常錯用的成語，以為超過總比不及好，謬也！最冷漠無情的人是凡「事不關己」者，都如「過耳秋風」，最沒良心的是「過河拆橋」，最忠義驍勇的是關公的「過五關，斬六將」，最難能可貴的是「知過能改，善莫大焉。」小老百姓最盼望的是「生活過得去，日子過得好」！學生最高興的是考試「過關」了。小孩子最盼望的是「過年」，有新衣美食加壓歲錢！老年人風燭殘年，身體欠安，過一年是一年。王小二過年是一年不如一年！

行楷

甲骨文

金文

小篆

行書

甲骨文：上面是一隻耳朵的形狀，耳下有一個面朝右站立的人，左下方是一個「口」的形狀，字形由耳、人、口組成，表示此人耳聰口敏，是有智慧的「聖」人，是個會意字。

金文：左上方的耳型已稍轉為字形化，右上方仍是口形，下方變成面朝左的人形。

小篆：由金文演變而來，形象更字形化，下方的人形仍在，但變成站在「土」地上。

楷書：由小篆之字形及結構轉換而來。

簡化字：「圣」：亦是楷書的簡體字。

◆古義

《說文》：「聖，通也。」「尚書．洪範」：「睿作聖。」對於事物沒有不通不懂者曰「聖」，故凡知識、品德、才能、智慧等迴出於常人者謂之「聖人」。「易經．乾卦」：「聖人作而萬物覩。」覩者，由看見而生景仰之義，因有聖人興起而萬物景仰跟從也。「風俗通」：「聖者聲也，聞聲知情，故曰聖也。」「詩經．邶風．凱風」：「母氏聖善，我無令人。」「聖善」是明理而又善良，「令人」是指「善人」，有孝心的人，母親既明理而又善良，我們卻沒有孝心啊！後人以「聖善」稱頌母德，亦用之作為「母親」的代稱。

◆今意

現在多用「春暉」表達對母親的懿德與深恩，稱母親為「萱堂」、「高堂」，現代人要被尊敬為「聖」就太不容易啦！古有「至聖先師孔子」、「亞聖孟子」、杜甫是「詩聖」，李白是「詩仙」，王羲之是「書聖」，後漢張芝、唐朝張旭是「草聖」、堯、舜、禹、湯、文、武、周公、孔子都被尊稱為「聖人」，今人想當聖人，太難了！只要能當個好人、善人、有用的人、對人類有貢獻的人就很了不起了！「聖」已是古聖賢的代名詞了！

十二月二十五日是耶穌基督的生日，俗稱「耶誕節」，是歐美國家極為重要的節日，但有很多人稱該日為「聖誕節」，似有不宜也！

行楷

金文

石文

小篆

行書

金文：上半部是個「君」字，表聲，君下是個「羊」字，表形，多羊聚集之義，是個形聲字。

石文：與金文相同，只是「君」與「羊」都變成「字」形。

小篆：由金文演變而來，是小篆的筆法。

楷書：由小篆的筆法轉換而來，仍是「君」、「羊」的結構。

俗體字：「群」是楷書的俗體字。

群之簡化字與楷書之俗體字相同。

◆古義

《說文》：「羣，輩也。」即朋也，同類也，金文以多羊聚集為「羣」，故獸類聚三為羣，「詩經．小雅．吉日」：「儦儦俟俟，或羣或友。」「儦儦（音標）」，疾行也，「俟俟（音寺）」，緩行也，野獸們有的快跑，有的慢行，三三兩兩成群結伴。「禮記．檀弓上」：「子夏投其杖而拜曰：吾過矣！吾離羣而索居亦已久矣！」此處「羣」指同門朋友，言離開朋友而獨居久矣！與朋友相處貴之在「和」，「論語．衛靈公」：「君子矜而不爭，羣而不黨。」君子莊重不與人爭執，和睦與人相處而不結黨營私。「論語．陽貨」：「可以羣，可以怨。」多讀詩可以懂得與人相處之道，可以自我宣洩胸中塊壘。「羣生」是指百姓，「羣有」指萬物，「羣季」指諸弟，「羣從」指子姪輩也。

◆今意

三人成「羣」，百人成「隊」，今人常用「成群結隊」形容多人聚集之義，「羣聚」如是研究學問、增益技能、積德行善等，類此之聚，多多益善也！若是遊手好閒、為非作歹，集思廣「惡」行不義者，萬莫「羣」之！是故現代的學校對學生的「羣育」教育極為重視，以培養學生互助合作、互相鼓勵、互相尊重、互展長才為重要目標，使之具有羣體榮辱、團結合作的精神和觀念，則其人格必健全也！

現在有很多人為了某種目的或訴求，聚集在一起的舉動稱「群眾運動」。王羲之蘭亭集序：「群賢畢至，少長咸集」又是另一個境界！

行楷

甲骨文

金文

小篆

行書

甲骨文：左邊是一個婦人的形體，頭上戴著飾物，右邊是一個倒著的、剛出生的小孩，上下四個小點表示出生時所流下的血滴，是個會意字。

金文：左邊婦人頭上的飾物不見了，右邊小孩子的血滴變成下面三個小點。

小篆：左邊回到甲骨文的型態，有頭飾、有乳房，右邊下方的血滴變成了水形。

楷書：由小篆字之形演變而來。

毓之簡化字與繁體字相同。

◆古義

「毓」乃古之「育」字，毓者，養也。《說文》：「毓，養子使作善也。」「班固．東都賦」：「豐圃草以毓獸。」圃者，種植蔬菜、瓜果、花木等植物的園地也；圃草則指培養青草的園地，「毓獸」是養育動物之意，青草滿園以飼養動物家畜也！「毓」亦「生」也，「國語．晉語」：「怨則毓災。」怨者，恨也，恨則生災也。另如「鍾靈毓秀」即指靈性聚集之地自然孕育出俊傑秀美的人物。「郁」指香氣濃厚，「郁毓」則指旺盛、盛多也。

◆今意

「毓」是「育」的古字，依其字形得知為婦人「生產」之義，今人多用「育」表之，如生育、養育、教育、孕育、哺育等，都指扶養教育之意，而不能寫成「生毓」、「養毓」等。故「育」與「毓」已漸分義，「育」多用於人類、動物等，「毓」則多用於山川、大自然等，指在特殊的境界裡孕育出的靈性，較之人類在「生產養育」的時間及過程要長久得多！似乎「毓」比「育」的境界要高了一層，所以現今很多人在取名字時都喜歡用「毓」字，其理在此也！

行楷

甲骨文

金文

小篆

行書

甲骨文：上半部的圓形是個「囧」字，代表一扇窗戶，擦得清潔明亮，下面是一個裝血的器皿，古時歃血為盟，立誓明心之謂，是個會意字。

金文：上半部由窗形變成「明」字，下半部仍是裝血的器皿，「立誓明心」之義更濃。

小篆：與金文基本寫法相同

楷書：由小篆字形轉換而來，古義仍存。

盟之簡化字與繁體字相同。

◆古義

《說文》：「盟，本作盟，從血。」盟者，明也，告其事於神明也。與人立約，為取信之，故歃血為盟，立誓明心也。「春秋．正義」：「凡盟禮，殺牲歃血，告誓神明，若有背違，欲令神加殃咎，使如此牲也。」故知盟之本義為「結盟」。兩者或多者結成「同盟」也。「詩經．小雅．巧言」：「君子屢盟，亂是用長。」君子屢屢立誓結盟，又屢次背信，禍亂因而滋長。「周禮．春官．盟詛註」：「盟詛主於要誓，大事曰盟，小事曰詛。」「詛」乃較「盟」為小之誓約，國與國之間締結同盟條約稱「盟邦」、「盟國」，人與人間結為異姓兄弟稱「盟兄弟」，俗稱「把兄弟」！

◆今意

現在國與國之間締結同盟，已不用殺牲歃血，告誓神明，雙方簽約，互遞盟書，就算搞定。人與人之間要做拜把兄弟，神前禱告，飲酒立誓者有之，殺牲歃血者少，有些幫派舉行誓典時，為表忠心，殺雞飲血酒者亦有之，但已不多見！古時大國小國，各為其利，四處結盟；今之世界各國亦有大小，在聯合國投票都算一票，只是不稱「盟國」而稱「邦交國」，在實質上與「古盟國」有極大差異！

行楷

甲骨文

金文

小篆

行書

甲骨文：上面是個四方形，像一塊方形的土地，下面是個儲糧的倉廩，這裡儲有糧食，人民居住於此，是個會意字。

金文：由甲骨文演變而來，「倉廩」形狀有變化。

小篆：右邊加了個「邑」，表聲，變成形聲字。

楷書：由小篆字形轉換而來。

鄙之簡化字與繁體字相同。

◆古義

「春秋」：「冬，齊人、宋人、陳人伐我西鄙。」「鄙」之本義為「都邑四周的土地。」「釋名」：「鄙，否也，小邑不能遠通也。」「否（音痞）」者，塞也，閉不行也；都邑四周之小邑，偏僻而又交通不便之邊邑也，引申為戶口的計算單位，「周禮・地官・遂人」：「掌造縣鄙形體之法，五家為鄰，五鄰為里，四里為酇（音纂），五酇為鄙，五鄙為縣。」故知五百家為一「鄙」，二千五百家為一「縣」。亦引申為「郊外」、「郊野」、「固（鄙）陋」等意，「論語・泰伯」：「出辭氣，斯遠鄙倍矣！」「倍」與「背」同，說話語氣要親切中肯，才能不鄙陋、不背理。亦有「輕視」之義。「宋濂・燕書」：「先生不鄙夷敝邑。」您不輕視我這小國之謂，亦引申為自謙之詞，如「鄙人」、「鄙夫」都是指自己，「鄙言」、「鄙見」、「鄙意」等均指自己的言論與見解，「鄙懷」是指自己的懷抱，如「爰以此詩，聊舒鄙懷。」「鄙」亦通「啚」，嗇於財也！

◆今意

現在交通發達，國之邊境城市亦不覺偏僻，「邑」亦不用於現今居住區域的計數詞，而其引申之「自我謙詞」、「鄙見」、「鄙懷」等則仍常用之，但因「鄙視」有貶義，有些人寧可自稱「在下」、「愚弟」、「不才」等，亦不願自稱「鄙人」、「鄙夫」。稱自己的意見為「拙見」、「淺見」，而非「鄙見」，稱「己懷」、「下懷」、「老懷」等，而非「鄙懷」！「鄙語」、「鄙諺」現今多稱「俗語」、「諺語」，故以今而論：「鄙視之心不能有，鄙夷之詞要少用！」

行楷

甲骨文

陶文

小篆

行書

甲骨文：上半部是個「高」字，從聲，下半部是個「肉」字，肉中油脂為膏，是個形聲字。

陶文：由甲骨文演變而來，上端是個完整的「高」字，下端的肉形變橫的。

小篆：與陶文形體相似。

楷書：由小篆字形轉換而來，與最早之甲骨文形體相較，變化不大。

膏之簡化字與繁體字相同。

◆古義

《說文》：「膏，肥也，從肉，高聲。」肉之肥者曰「膏」，肥肉脂肪較多，溶化後稱「膏」，凝結後稱「脂」，後人對凝結物亦多用「膏」稱之。故知「膏」之本義為「脂肪」。因凝後成「膏」狀，便於攜帶、保存，又有潤滑作用，故婦女常用之以潤澤頭髮。「詩經．衛風．伯兮」：「豈無膏沐，誰適為容。」我並非沒有潤澤頭髮的油膏，而是我要為誰裝扮我的容貌？因「潤澤」引申為「滋潤」，用於土地萬物。「詩經．曹風．下泉」：「芃芃黍苗，陰雨膏之。」「芃芃（音彭）」，指茂盛蓬勃，茂盛的黍苗啊！是陰雨滋潤了它。「膏腴」指土地肥沃，「膏粱子弟」指富貴人家的兒女，飽食終日，無所事事也！古時把心臟下方的脂肪稱「膏」，心臟與橫隔膜之間稱「肓（音荒）」，「病入膏肓」則無藥可醫也！

◆今意

宋太宗曾御賜十六字，命黃庭堅書之，刻於戒石，立於各府衙大堂前，以為官吏晨昏之戒，稱「戒石銘」，刻文為：「爾俸爾祿，民膏民脂，下民易虐，上天難欺。」此銘一沿用至清朝，間或有改以牌坊者，但從未廢棄不用！今之官署已不見此銘，難怪浪費公帑者時有所聞，那些都是民脂民膏，百姓的納稅錢啊！現在的人勞動、運動都少，整天坐著不動，經常腰痠背疼，故賣膏藥的生意特好！

秋天的螃蟹是最肥美的，有人喜歡吃蟹黃，有人喜歡吃蟹膏，肥美的蟹膏可以多吃，民脂民膏可千萬別嚐！

行楷

甲骨文

金文

小篆

行書

甲骨文：上半部是人的一隻大眼睛，眼上有直豎的長眉，眼下是人的身形，右下方是一把「戈」形，以「戈」砍人之腿部，「眉」表聲，「戈」表義，是個形聲兼會意字。

金文：由甲骨文演變而來，把「戈」從右下方放到了右半邊，更凸顯其義。

小篆：由金文演變而來，改分上下兩部，「眉」與「眼」在上半部，「戈」與「人」在下半部，其義同。

楷書：由小篆字形演變而來，下半部變成戍字。

蔑之簡化字與繁體字相同。

◆古義

《說文》：「蔑，勞目無精也，人勞則蔑然。」「無精」指兩眼無神而茫然，「蔑然」亦同。「蔑」之本義為「滅」，以「戈」殺人也。「國語．周語」：「今將大泯其宗，而蔑殺其民人。」「泯」者，消滅也，「蔑」亦同。因「消滅」而引申為「無」、「沒有」，「詩經．大雅．板」：「喪亂蔑資，曾莫惠我師。」死喪混亂之時，窮困沒有錢財，竟然沒人援救我的百姓。由「消滅」引申為「欺侮」、「侮蔑」。「國語．周語」：「是蔑先王之官也。」亦「棄」也，輕視而棄之也！「文選．范寧罪王何論」：「蔑棄典文，不遵禮度。」亦指「微小」、「渺小」，揚雄「法言．子行」：「視日月而知眾星之蔑也。」看見太陽和月亮，才知羣星的渺小！

◆今意

「蔑」至今已少用於殺戮、滅絕，而多用於輕蔑、侮蔑、蔑視等，或因殺戮太血腥，人性本善，故而「棄」之不用！另很少用「蔑」表示「無」、「沒有」，但對某人感其渺小、不堪、微不足道，則常用「輕視」、「輕蔑」表之！「蔑」是負義詞，貶義詞，常用在罵人上，會引起極大爭議，尤其帶有侮辱性的「侮蔑」，更不宜也，因為這雖非用「戈」的人身攻擊，但卻是言語的人身攻擊，是要吃官司的，慎之！

您若看不起這人，就離他遠點，不與之為伍，且莫以「輕蔑」的言詞表之，有失自己的身分與格調！

行楷

甲骨文

小篆

行書

甲骨文：中間是個「日」字，表示太陽，「日」上有個蓋子，四周有四個小點，表示草地，最外面是個大帳篷，即「幕」也，是個會意字。

小篆：四顆小草放在「日」的上下方，變成了「莫」字，帳篷的外型變成「巾」字，放在「莫」下，「莫」表聲，「巾」表形，此時變成形聲字。

楷書：由小篆字形轉變而來，仍有古形古義。

幕之簡化字與繁體字相同。

◆古義

《說文》：「幕，帷在上曰幕。」「帷」者，圍也，用布做成的布幔也，在四周的帳稱「帷」，在頂上的稱「幕」，「帷幕」皆可稱「帳」，如「帳幕」、「帳篷」等。故知「幕」之本義為「用布幔圍成的屋子」。「戰國策．齊策一」：「舉袂成幕。」古時的衣袖寬大，人多時，把衣袖舉起來就可變成帳幕了。帳幕是用布幔覆蓋著看的，故亦有覆蓋之義，「易經．井卦」：「井收，勿幕，有孚。」水井修治好了，不要在井口加蓋，要信守讓大家汲水飲用的承諾。軍隊出征，在野外紮營，用帷幕所搭之帳篷稱「幕府」，發號施令之處也，故引申為「將軍府」亦稱「幕府」。幕府中輔佐首長處理事務之僚屬稱「幕僚」。「幕」通「漠」，「史記．匈奴傳」：「以精兵待於幕北。」「幕北」，漠北也！

◆今意

「幕」與「氈帳」近似，但「幕」多以布料製，且係暫時居住，而「氈」是用粗毛壓成片，且居時較長，至今「幕帳」可能僅用於露營的帳篷，而在中國北方仍有許多以氈帳為住所者！拉開劇台前的布幔叫「開幕」，「舞台劇」的一節或一段，布幔從開啟到關閉稱「一幕」，現在對同在一個體系下工作的僚屬仍稱「幕僚」，彼此稱「同僚」，舞台前看得見的叫「幕前」，看不見的稱「幕後」，人稱「幕後英雄」！

人生如戲，「一幕幕」的演，演到終場就「閉幕」，是不是「幕幕」精彩？端看自己的努力程度！

行楷

甲骨文

金文

小篆

行書

甲骨文：左右兩邊像是兩根竹子或棍子，中間是結繩的形狀，密結之即成網，用以捕鳥獸也，是個象形字。

金文：由甲骨文演變而來，變成雙手可以舉起的網。

小篆：由金文演變而來，網柄加長，網內加了「亡」字，表聲，此時變成形聲字。

楷書：在左邊加了「絲」旁，表示「網」用絲製成。

簡體字：「网」：是「網」的簡體字，「网」亦是字的部首，是小篆的字體之一，亦是大陸地區通用的簡化字。

◆古義

《說文》：「網，本作网。」結繩為之，用以網魚，羅鳥、捕獸也。「易經・繫辭下」：「作結繩而為罔罟，以佃以漁，蓋取諸離。」取獸曰「罔」、取魚曰「罟」，「佃」指種田與打獵。「詩經・邶風・新臺」：「魚網之設，鴻則離之。」「鴻」指野鵝，架設了一張大魚網，想要捕魚，野鵝卻往裡硬闖，非已所欲也！吾常以「網開一面」求人原諒、同情。古時商湯網開三面，德及禽獸，受人愛戴。「史記・殷本紀」：「湯出，見野張網四面，乃去其三面，僅留置一面，諸侯聞之曰：湯德至也，及禽獸。」亦引申為法令寬大。如「網漏吞舟」亦同義。「史記・酷吏傳序」：「網漏於吞舟之魚，而吏治烝烝，不至於奸，黎民艾安。」

◆今意

今之「網」是個名詞，專指以絲、線、鐵等編織成的網，古時「罔」與「網」通，而今「罔」已另有其義也，舉凡結成網狀者皆可稱「網」，如蜘蛛網、鐵絲網、警網等，現在已進入「網路」時代，年輕人都很會用電腦，有自已的「網頁」，常常「上網」高談闊論、互通有無，或把自己的生活、工作、心得與「網友」分享，或到「網咖」打電動，整天一動不動，有些上了年紀的人常被一句「你不會上網啊！」弄得臉紅，趕緊學「上網」吧！

行楷

甲骨文

金文

小篆

行書

甲骨文：左邊是一根旗桿，桿頭上的三叉形是個裝飾物，右邊是飄舞飛揚的一面旗幟，旗上繪有圖案，是個象形字。

金文：由甲骨文演變而來，旗下多了一把大斧（斤），表示執斧在旗下捍衛的軍隊，此時變成了會意字。

小篆：由金文演變而來，分成左右兩部。

古楷：「旂」由小篆字形轉換而來，從「方人」，「斤」聲。

楷書：是現代常用的形體，「斤」變「其」字，表聲，是個形聲字，從象形、會意到形聲，是個變化較大的字。

旗之簡化字與繁體字相同。

◆古義

「廣雅・釋器」：「凡旗之名雖異，旌旂為之總稱。」古時均以「旂」為「旗」，因「旂」是「旗」的初字。《說文》：「旗有眾鈴以令眾也。」「爾雅・釋天」：「有鈴曰旂。」「爾雅・釋名」：「熊虎為旗。」旗上有鈴以號令軍隊，或旗上繪有熊虎，表示勇猛無比之軍隊也！「詩經・小雅・出車」：「出車彭彭，旗旐央央。」「彭彭」指壯盛，「旂」是「交龍旗」，旐（音兆）是「龜蛇旗」，「央央」指鮮明。因旌旗是軍隊精神的標識，故常引申為「標識」、「標誌」。「左傳・閔公二年」：「佩，衷之旗也。」身上佩帶之物，即內心所想的標誌。

◆今意

古之軍隊用「旗」與「鼓」發號施令，指揮作戰，如兩軍勢均力敵則稱「旗鼓相當」。現代戰爭已不用「鼓」指揮進退了，但仍有「差旗佔領」之舉，旗上圖案已不多動物，而以國家之精神象徵表之。「旗語」是雙方距離較遠，但可目視，以雙手揮揚旗幟以傳達語言的方式，清朝是旗人主政，旗女所著之長袍稱「旗袍」，滿清覆亡後，漢族婦女亦普遍穿之，經不斷改良，現幾已變成代表中國婦女的禮服了。

每個國家都有一面「國旗」，代表這個國家的精神標幟，尤其是每當國旗揚在世界各個比賽、展覽場所時，國民都會有無比的激昂、亢奮！

行楷

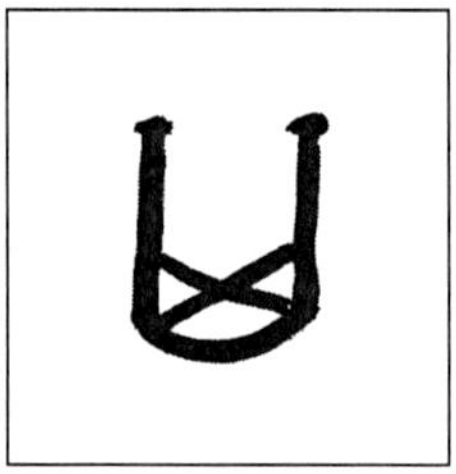
甲骨文

金文

小篆

行書

甲骨文：開口朝上，左右兩端頂上有便於端捧的把手，內部中下方有竹蔑條或柳條的網狀，其形如簸箕，故為象形字。

金文：由甲骨文演變而來，上端把手及下部的編織形狀更加明顯。

小篆：頂端加了「竹」頭，表示竹編之物，底下又加了底座便成「其」字，「其」表聲，此時變成形聲字。

楷書：依小篆字形轉換而來，其義未變。

箕之簡化字與繁體字相同。

◆古義

「篇海」：「箕，簸箕，揚米去糠之具。」糠者，穀皮也，用簸箕去穀皮以成米也。「詩經．小雅．大東」：「維南有箕，不可以簸揚。」「箕」亦為二十八星宿之一，南方的箕星，不能當簸箕拿來揚米去糠啊！「李尤．箕銘」：「箕主簸揚，糠秕乃陳。」用簸箕簸揚穀物，糠皮雜物便分離開了。「箕」亦汲取塵土之竹器，以帚掃除垃圾塵土集於箕中也。「詩經．小雅．巷伯」：「哆兮侈兮，成是南箕。」哆（音扯）、侈均為張大口之貌，嘴巴張得很大，像南邊的箕星，箕星像簸箕，底小口大，此處比喻造謠者之口也。「斗」亦星名，有北斗、南斗、小斗三座。人之指紋呈螺旋狀者稱「斗」，非者曰「箕」，古時軍中將兵士左右手共十指印編「箕斗冊」備查，重刑犯亦然，以備驗明正身之用。

◆今意

今之簸箕已不用於「揚米去糠」了，其質材種類亦多，以竹為之者已屬少數。古之「箕斗冊」，今則為「指紋檔案」，辨之更加細密精準。唐堯時之大賢許由、巢父不為仕祿所誘，隱居「箕山」，後人以「箕山之志」比喻人恬淡高節，而今人不為仕祿所動者幾希！古以伸其兩腳而坐，其形如箕為「箕踞」，高傲不羈也，今者插腰抱胸，頤指氣使，旁若無人。古時稱已妻為「箕帚之使」，拿掃把掃地之人也，今則稱「內人」、「內子」，文雅多了！

行楷

甲骨文

金文

小篆

行書

甲骨文：左上方是隻「羊」，右下方是一隻手執著鞭子，表示在放牧羊群，是個會意字。

金文：除「羊」的形狀稍有不同外，其餘意義均同。

小篆：把「羊」放在上面，執鞭的手換成餵養的「養」，不僅是羊，任何生物都需要餵養，才能成長，此時「羊」為聲，變成會意兼形聲的字。

楷書：由小篆字形字義直接轉換而來。

簡化字：「养」：上半部的羊不變，下面兩根柱子將羊撐起，表示負起餵養的責任。

◆古義

「玉篇」：「養，育也、畜也、長也。」「易經・頤卦・彖曰」：「觀頤，觀其所養也。」要看頤養的情況，就看他頤養的規律。故知「養」之本義為「牧養牲畜」。小孩子需要「養」才能長大，故生子曰養，引申為對父母的奉養，「玉篇」：「供養也，下奉上也。」奉者，恭敬也。「論語・為政」：「子曰：今之孝者，是謂能養；至於犬馬，皆能有養；不敬，何以別乎？」「養氣」是儒者自身之修養，「孟子」曰：「吾善養吾浩然之氣。」「養」亦「取」也，「詩經・周頌・酌」：「於鑠王師，遵養時晦。」武王的軍隊是多麼壯盛啊！武王率領他們奪取了紂王的權力。

◆今意

「生子容易養子難」，要拉拔一個孩子長大成人，成家立業，得花多少心思，不容易啊！但似乎都無怨無悔！說到奉養父母就有天壤之別啦！「養則容易奉則難」，總以為能給幾個生活費就算孝順了，老邁的父母耳背眼茫、手腳不靈光，行動遲緩，涕沫不自禁，能體諒無怨的子女幾希！對自己的兒女可以做牛做馬、容忍一切，對自己的父母則全無耐性，「養」不只是吃啊！

「樹欲靜而風不止，子欲養而親不在」，孝順父母不能等，今天不做，明天就後悔！

行楷

甲骨文

小篆

行書

甲骨文：外框是一間房子，裡面的火盆上燃燒著柴火，四個小點是燃起的火花，火光照出姣好的面龐，是個會意字。

小篆：外框的房子變成左邊的「人」字，右邊的火盆與烈日下都有烈火，此時「僚」已借為「同僚」之用，表示人在朝為官，如置身炙火中。

楷書：由小篆演變而來，已看不出人在炙火中。

僚之簡化字與繁體字相同。

◆古義

「僚」與「嫽」同，指容顏美好。「詩經・陳風・月出」：「月出皎兮，佼人僚兮。」月亮出來了，潔白而又光明；月下的美人，容顏更加美好！故知「僚」之本義為「好貌」，自被借用為「同僚」後，其本義已失。「尚書・皋陶謨」：「百僚師師。」「釋文」：「僚，本又作寮。」「左傳・文・七年」：「荀林父曰同官為寮。」「詩經・大雅・板」：「我雖異事，及爾同僚。」我雖然與你的職務不同，但仍與你是同事。「禮記・曲禮」：「僚友稱其弟也。」僚友者，官同者也。從事低賤勞役工作者，亦稱僚。「左傳・昭公七年」：「隸臣僚，僚臣僕。」即隸役使僚，僚役使僕。

◆今意

「僚」之本義失之久矣！至今則專用於「同僚」。古之美貌或操低賤工作者之義已全不引用。古時，姊妹之夫相互稱呼曰「僚婿」，現今則稱「連襟」。現今稱公部門的官吏，或以做官為職業的人叫「官僚」，對一些姿態甚高，作威作福、頤指氣使的「官吏」，一般也稱「官僚」，此時是個貶抑詞！「同事」是一般「僚屬」的通稱！文言一點的說法是「僚友」。戰鬥機羣在空中的編組，除一架「長機」外，餘稱「僚機」，負責對「長機」的保護和支援等任務！

行楷

甲骨文

金文

小篆

行書

甲骨文：右上方是隻手，中間是隻清潔用的洗帚，外框是個食器，下方是食器的底座，器中之物空也，故清洗之，是個會意字。

金文：上半部仍是手執洗帚之形，下半部是食器。

小篆：由金文演變而來，較金文複雜。

楷書：由小篆筆法演變而來。

簡化字：「尽」：以行書的筆法簡化之。

◆古義

《說文》：「盡，器中空也。」亦即止也、終也、竭也、悉也等義。「易經・繫辭」：「書不盡言・言不盡意。」所寫的並不很周全，所說的並沒完全表達其意。「鼂錯・言守邊備塞疏」：「美草甘水則止，草盡水竭則移。」止者，歇也，游牧民族逐草而居，草吃完了，水喝完了，就移居他處。「荀子・正名篇」：「欲雖不可盡，可以近盡也。」慾望雖然無法停歇、終止，但適可而止可也。亦有「完備」、「極端」之義，「詩經・小雅・楚茨」：「孔惠孔時，維其盡之。」一切都很順利、美善，只有你才能做得如此完好。南宋岳飛之母在岳飛背上刺「盡忠報國」四字，勗勉岳飛竭盡心力報效國家，因宋高宗送「精忠」旗給岳飛，此後則改為「精忠報國」！

◆今意

「盡」之本義為「終」、「竭」等至今未變，如「意猶未盡」，興頭尚未滿足、停歇，由實質的物體轉為無形的精神，如「盡忠報國」、「竭盡孝道」。竭盡心力為國捐軀容易做到，竭盡心力孝順父母則不容易，畢竟後者需時冗長，所謂「久病無孝子」是也！人總是追求盡善盡美，但人的一生總有不如意者，消極的人盡人事聽天命，積極進取，知足常樂的人卻能快樂一生！這種快樂是永無止「盡」的！

有人說父母生兒育女，只要「盡」到養育、培育的責任就好了，別終身付出如馬牛，但往往說起來容易，做起來，難啦！

行楷

甲骨文

金文

小篆

行書

甲骨文：左邊是一個裝著水的器皿，右邊是一個面朝左對著水盆跪著的人，用眼細瞧自己水中的模樣，是個會意字。

金文：左上方是大眼睛，右上方是人形，下方是裝水的器皿，中間一點代表「水」。

小篆：眼形變成「臣」字，人形變成「字」形，下方相同。

楷書：由小篆字形演變而來，已無照鏡之形。

簡化字：「监」：用行書及草書的筆法簡化之。

◆古義

《說文》：「監，臨下也。」從上往下看水中的自己。「尚書．酒誥」：「人無於水監，當於民監。」君王不用拿水照自己是否賢德，要走入民間去看看百姓的反應。故知「監」之本義為「鏡子」、「查看」。「詩經．小雅．節南山」：「國既卒斬，何用不監？」國家命運已完全被斬斷，你為何還不睜眼察看？亦有「觀也」、「視也」之義。「詩經．大雅．皇矣」：「監觀四方，求民之莫。」監視觀察四方，以求百姓生活安定。「韓非子．五蠹」：「雖監門之服養，不虧于此矣！」「監門」是看守里門之人，收入微薄，生活艱苦，「監門之養」是指過著節儉樸實的生活。

◆今意

「監」之本義至今仍存，囚禁犯人的場所稱「監牢」、「監獄」古今一致，其新的用途更多，利用特殊設備聽取他人談話謂之「監聽」，選舉時監視選票的收發及開票工作謂之「監票」，民間團體選出負責監督業務及財產的人謂之「監事」，企業中負責監察董事執行公司政策者謂之「監察人」，依法對未成年人或無行為能力者之身體、財產等進行監督和保護者，謂之「監護人」，但千萬別「監守自盜」，那是犯法的！

古之「監視」是注意國家大事及百姓的民活，今之「監視」則多用於以對方不能察覺的方式注意其言行舉止，兩者大不同也！

行楷

甲骨文

小篆

行書

甲骨文：左邊是個「彳（音斥）」，是行動的符號，右邊是「戈」，執「戈」而「行」，保家衛國，足必踏地而行，是個會意字。

小篆：左邊用「足」表示實際的行動，右邊又多了一個「戈」，表示執戈者眾。

楷書：由小篆字形轉換而來。

簡化字：「践」：將單「戈」增加一橫來表示雙「戈」。

◆古義

《說文》：「踐，履也。」履者，以足踏也，以足踩也。「詩經．大雅．行葦」：「敦彼行葦，牛羊勿踐履。」「敦（音團）」指草木叢生，那叢生的蘆葦，牛羊不要踩踏它。故知「踐」之本義為「踩踏」，以足踩踏謂「至」、「到」也，「禮記．曲禮」：「踐阼臨祭祀。」「阼（音作）」是「主階」，主人迎賓之台階，天子親臨主階祭祀之謂，故新君嗣位亦曰「踐阼」。「史記．魯周公世家」：「周公乃踐阼，代成王攝行政當國。」由「至」引申為「履行」、「實行」，對「承諾」或「應為」之事履而行之也！亦引申為「行列」，「詩經．豳風．伐柯」：「我覯之子，籩豆有踐。」「覯（音夠）」是遇見，「籩」與「豆」皆指盛物之食器，「籩」是竹編，「豆」是木製，我想見見這個人，我會把籩豆排列整齊以待！「踐」亦通「翦」，除也，滅也，「尚書．成王征序」：「成王東伐淮夷，遂踐奄。」將奄國滅了。亦通「淺」讀音相同，淺陋也。

◆今意

「踐」之本義為「踩」、「踏」至今未變，今則常「踐」、「踏」併用以加強語氣，如在環保上常可看到「請勿踐踏草皮」等字語。亦多用於「踐約」、「履約」、「踐言」、「履行」等，不以「行動」實踐承諾或履行約定，即其「足」未「踏」也，其「身」未「至」也，未踐諾言也，故謂違約背信，舉凡正人君子，必定言而有信，說到做到，絕不可花言巧語，亂開空頭支票。越王勾踐的名字取得好，他矢志復國，說到做到，臥薪嘗膽，終抵於成。

行楷

甲骨文

金文

小篆

行書

甲骨文：上部是條魚的形狀，魚下是個「口」，鮮魚入口，其味美也，是個會意字。

金文：上魚下口，與甲骨文相似。

小篆：上部仍是魚形，但筆法簡化了，下部的「口」變成了「白」，像是白天吃鮮魚。

楷書：由小篆演變而來，上為魚，下面的「白」天變成了「日」。

簡化字：「鲁」：中間四點水用行書的筆法，以一橫表之。

◆古義

食鮮魚其味美也，「味美」為「魯」之本義。後被假借為「魯鈍」義，其本義即失。《說文》：「魯，鈍詞也。」「論語・先進」：「柴也愚，參也魯。」高柴與曾參都是孔子的學生，孔子說：「高柴有點愚笨，曾參有點魯鈍。」「魯鈍」即「遲鈍」，一個是不聰明，一個是反應慢。「釋名」：「魯，魯鈍也，國多山水，民性樸魯也。」好山好水，民風純樸不奸滑也。「魯莽」是指做事粗魯，莽撞失態。「魯」也是國名，最早周武王封其弟周公旦於此，包括山東滋陽、江蘇沛縣、安徽泗線等地，故山東省的簡稱為「魯」，山東曲阜是孔子的故里。「魯魚亥豕」是指兩字寫法相似，以致被誤認誤傳而發生錯誤，因篆書中，「魯」與「魚」的寫法相似，古文中「亥」與「豕」寫法相近，常被誤認誤用也！

◆今意

「魯」與「滷」通，「魯莽」、「魯鈍」可寫成「鹵莽」、「鹵鈍」。「鹵」之本義為「天然的塩」，亦與「滷」同，「滷」是以鹹汁烹煮食物，三字雖各有相同之處，但亦非完全通用，如「滷肉飯」、「滷蛋」等不宜寫成「魯肉飯」、「魯蛋」，「滷菜」是下酒的好菜，但不能寫成「魯菜」，會被誤認為是山東的菜系，因「魯菜」是中國四大菜系之一，市面上許多店面招牌「誤滷為魯」，是會貽笑大方的。

行楷

金文

小篆

行書

金文：左邊是個「金」字，表義，右邊是個「僉（音千）」字，表聲。是個形聲字。

小篆：左邊的「金」換到右邊變成刀刃的「刃」，此時變成左聲右形的形聲字。

楷書：由小篆字形轉換而來。

簡化字：「剑」：由草書的筆法簡化而來。

◆古義

《說文》：「劍，人所帶兵也。」劍是古時人所配帶的一種兵器也，像刀而兩面有刃、下有握柄，劍身有劍鞘可套，用以禦敵防身。「劍」是兵器之一，擊劍的技術稱「劍術」，可分「單劍」、「雙劍」等，名目甚多，術亦各異。精於劍術之俠客稱「劍客」。「史記·項羽紀」：「項籍少時，學書不成；去學劍，又不成。」項羽年輕時書讀不好，改學劍術，也學不好。「劍舞」是由劍術演變而來的舞蹈之一，在戲曲及武術表演中常能見到。「劍拔弩張」是形容書法奇崛雄健。「南朝梁袁昂評書」：「梁鵠書如龍威虎振，劍拔弩張。」另「北史·李義深傳」：「義深有當世才用，而心胸險峭，時人語曰：劍戟森森李義深。」比喻內心險惡而深藏不露，令人畏懼也。「劍及履及」是鼓勵人說到做到、奮起速行之義。

◆今意

「劍」在今日已不是隨身佩帶的防身兵器，但在戲劇、舞蹈、武術等表演節目中仍能看到「舞劍」。家裡如有收藏寶劍，可能都先要向治安單位備案，因為它有公共危險的問題。「劍拔弩張」現已不用於形容書法了，而通俗用於比喻對立的雙方，將有一觸即發的緊張態勢！鍾光新將軍曾賜我墨寶一幅，引五代貫休和尚的詩：「滿堂花醉三千客，一劍霜寒十四州。」貫休和尚詩詞有名，這「劍氣」也甚了得！

行楷

金文

小篆

行書

金文：上半部是個「般」字，右上方是個舀字，舀字下方是隻手，左邊是個裝食物的盤子，把食物舀進盤裡，下半部是器皿的「皿」，「般」亦表聲，是個形聲字。

小篆：上半部仍是「般」字，與金文之義相同，下半部變成「木」，木製之盤也。

楷書：由金文字形演變而來，盤像「舟」形。

簡化字：「盘」：把右上方的手和舀子去掉，以簡化之。

◆古義

《說文》：「盤，承槃也，從木，般聲。」盤乃盛物之器也，以木或錫、銅為之。「李紳．憫農」：「誰知盤中飧，粒粒皆辛苦。」有誰知道盤中的米飯，每一粒都是辛苦耕耘而來。故知盤之本義為「盛物之器」也。「般」是「盤」的本字，故「盤」與「般」通，「爾雅釋詁」：「盤，樂也。」「尚書．五子之歌」：「乃盤遊無度。」「盤」亦為古沐浴之盤，「禮記．喪大記」：「沐以瓦盤。」「盤」亦與「磐」通，「前漢．文帝記」：「盤石之宗。」「盤石」即「磐石」，大石也。因「盤」多為圓形或橢圓形，故引申為「盤旋」、「迴旋」之義。「博雅」：「盤桓不進也。」留連不進之謂也。出門在外所需使用的金錢叫「盤纏」，詳細查問可疑之人稱「盤詰」。

◆今意

今之「盤」已專用於盛食物之盤，而不與「般」、「磐」相同用，亦不用於沐浴。當名詞用時，即指食具之「餐盤」、「茶盤」或「棋盤」、「羅盤」、「輪盤」等，當動詞用時，即指「盤坐」、「盤查」、「盤旋」、「盤球」等，商店清點存貨稱「盤點」、「盤貨」，計畫或打算稱「盤算」。亦作「量詞」之用，如「端上一盤好菜」、「打了一盤好球」等。小的盤子現在叫「碟子」，多用於沾料。「盤古開天」之盤古是古神話中開天闢地之人。

「算盤」是珠算用的盤，用以計數，現已被計算機代替，「算盤」將逐漸變為古董了！

行楷

甲骨文

金文

小篆

行書

甲骨文：上半部是個雨字，表示下雨了，雨下有三隻鳥（隹），三表多數，群鳥在雨中疾飛歸巢，霍霍有聲，是個會意字。

金文：上半部代表天空的短橫省略了，但增加了雨滴，雨下三鳥更具其形。

小篆：取甲骨文與金文之合體為雨，雨下變二鳥（隹）。

楷書：由小篆演變而來，雨下為一鳥，其義不變。

霍之簡化字與繁體字相同。

◆古義

《說文》：「霍，飛聲也。」群鳥在雨中急飛歸巢所發出的聲音，僅在雨天疾飛才有。「玉篇」：「霍，鳥飛急疾貌。」故知「霍」之本義為「群鳥雨中疾飛所發之聲」。「木蘭詩」：「磨刀霍霍向豬羊。」是磨刀有聲使之光亮也。由急疾引申為「迅速」、「忽然」，「司馬相如．大人賦」：「煥然霧除，霍然雲消。」雲霧迅速消散也。漢景帝時，枚乘諫吳王濞所著「七發」中有「霍然病已」，病忽然（迅速）好了！亦引申為「揮霍」，「文選．陸機．文賦」：「紛紜揮霍，形難為狀。」迅疾難以形容。另大山圍繞小山稱「霍」。「爾雅．釋山」：「大山宮小山，霍。小山別大山，鮮。」「宮」是圍繞，「別」指分開，小山在中，大山在外圍繞之山形稱「霍」，小山與大山不相連稱「鮮」。「霍」與「藿」通，豆角謂莢，豆葉謂藿。

◆今意

霍」今多用於引申義，如「霍然消失」、「霍然病除」、顧雲詩：「金蛇飛狀霍閃過，白日倒掛銀繩長。」中的「霍閃」即指閃電、電極速而過。今之「揮霍」幾專指浪費錢財的速度極快，一眨眼，所有家產即「揮霍殆盡」！五嶽中的南嶽衡山亦名霍山，自漢武帝移嶽神於天柱後，又名天柱山，現在則仍慣稱衡山。「霍亂」是一種因腸菌引起上吐下瀉的病症，又名絞腸痧，傳染力極強，在今之文明而講衛生的國家已少發生！

「霍去病」是漢朝討伐匈奴的名將，他這名字取得好，倘若得病，立馬消除也！

行楷

甲骨文

小篆

行書

甲骨文：上半部是「雨」字，表示下雨、下半部是「林」字，有四個小點，表示雨下在樹林裡，「雨」表義，「林」表聲，是個會意兼形聲字。

小篆：上雨下林，與甲骨文之義同。

楷書：由小篆字形轉換而來，其古義不變。

霖之簡化字與繁體字相同。

◆古義

《說文》：「霖，雨三日已往，從雨，林聲。」凡雨下了三天以上而不停歇者稱「霖」，「玉篇」：「霖，雨不止也。」雨下個不停之謂。「左傳·隱公九年」：「凡雨，自三日以往為霖。」「爾雅·釋天」：「暴雨謂之涷，小雨謂之霢霂，久雨謂之淫，淫謂之霖，濟謂之霽。」暴雨稱涷，小雨稱霢霂（音莫木），下了很久的雨稱淫，淫又稱霖，雨停放晴稱霽。故知「霖」之本義為「久雨」。「詩經·小雅·甫田」：「以祈甘雨，以介我稷黍，以穀我士女。」「介」是「助」，「穀」是「養」，「士女」指百姓，祈求降下好雨，幫助稷黍豐收，來養活百姓。有益作物生長之雨稱「甘雨」，亦即「甘霖」。「尚書·說命」：「若歲大旱，用汝作霖雨。」霖雨是指賢吏救旱，澤被百姓，「霖雨蒼生」是頌揚賢吏對人民的恩澤。

◆今意

久雨不晴謂之淫雨、霖雨，是霖之本義，引申為「及時雨」、「對農作物有助益」之雨為霖雨、亦即甘雨、甘霖、甘甜之雨水也！「宋·洪邁·容齋隨筆」有四句誦世人得意快樂之詩：「久旱逢甘霖，他鄉遇故知，洞房花燭夜，金榜題名時。」真至現代仍傳為至樂！大旱大澇都是災難，平時治水極為重要，水庫乾涸時，就希望來場大雨，一解水庫之渴，此雨即甘霖也，甘霖亦指居上者之德政，至今，百姓望好官賢吏，仍如大旱之望雲霓也！

行楷

金文

小篆

行書

金文：左右兩邊是個「門」字，門裡的上端是個「柬」字，「柬」通「簡」，精選也，表聲，柬下是個「言」字，闔起門來把各種是非善惡「柬擇」陳於君王，「諫勸」也！是個會意兼形聲字。

小篆：把「門」去掉了，中間的「柬」、「言」並列，言在左表示以言為主，大庭廣眾下亦可言諫。

楷書：由小篆字形轉換而來，以言相勸也。

簡化字：「谏」：「言」用草書的筆法書以簡化之。

◆古義

《說文》：「諫，証也。」「証」者亦即「諫」也，以言正人也。「諫」之古字為「諫」，以「言」規勸的官「吏」也。「周禮．地官．保氏」：「保氏掌諫王惡。」保氏掌管諫勸君王改正錯誤。「徐錯」曰：「君所謂否，臣獻其可以間隔之於文，「言」、「柬」為「諫」，「柬」者，多別善惡以陳於君。」故知「柬」之本義為「規勸君王之言」也！「舊唐書．職官志」：「凡諫有五，諷諫、順諫、規諫、致諫、直諫。」「詩經．大雅．民勞」：「王欲玉女，是用大諫。」「玉」是動詞，「重用」也，「是用」即「因此」，君王想要重用你，因此我真心向你勸諫。古時諫官之署稱「諫院」，衙門前所設之鼓稱「諫鼓」，大臣諫君之書稱「諫書」。「諫果」是橄欖的別名，因橄欖苦澀，歷久方能回甘，故名。

◆今意

「諫」是「言」「柬」，而非「言」、「東」，因「柬」是經過選擇、精選後之言也，故「請柬」也是經過精挑細選才發出的！所以不能寫成東南西北的「東」字。「諫」是古時御史諫議大夫對皇帝的過失直言進勸，明君聽得進去，昏君如殷紂王則將比干剖腹以觀其心，慘遭橫禍！今之「諫」可用於下對上，晚輩對長輩，亦可用於平輩之間，在社會新聞中，「死諫」亦時有聞之，但其情可憫，其行不可取！古時用「諫」是很嚴肅的事，現在用「規勸」則緩和得多，且適用於任何人，效果也好些！

行楷

甲骨文

金文

小篆

行書

甲骨文：是個烏龜的形狀，上端是烏龜的頭部，左邊是伸出的兩隻腳，右邊是烏龜的背部，是龜的側面圖，是典型的象形字。

金文：是龜的上視圖，中間是橢圓形的龜背，上是頭部、下為龜尾，其餘是四隻龜腳。

小篆：由甲骨文的形象演變而來。

楷書：由小篆形體演變而來，龜形仍清晰可見。

簡化字：「龟」：依行書的筆法簡化之。

◆古義

《說文》：「龜，外骨內肉者也。」俗稱烏龜，屬爬蟲類，頭形似蛇，眼小口大，腹背均有甲殼，善泳，亦能匍匐棲息於陸，壽長可至百歲以上。「龜鶴同春」、「龜鶴遐齡」都是祝頌別人長壽之詞，古時「卜」用龜，「筮」用「蓍」，「卜」是占卜，灼龜取兆，以辨吉凶；用蓍草占卦謂之「筮」，灼燒龜殼，檢視龜背所裂紋路，以斷吉凶也！「蓍龜」即是占卜吉凶。如「多爾袞致史可法書」：「勝負之數，無待蓍龜。」「龜」是古時的貨幣之一，亦用之為「印」。唐武后時，五品以上之官有佩龜之飾，作為出入的信符。「龜茲（音丘慈）」是漢時西域諸國之一，在今新疆省庫車和沙雅二縣之間。「龜（音軍）裂」多指皮膚或土地因乾燥而產生之裂痕。

◆今意

四川省成都市有個別名叫「龜城」，相傳秦朝時張儀建築成都城，屢建屢倒，城牆難以築立，後有一隻大龜出現在江中，繞行一周而去，有占卜者稱必須依龜行之處築之始成，城自此果得而立，故以「龜城」得名！西洋人有則寓言叫「龜兔賽跑」，是比喻自大者必敗，努力不懈者必成的道理，人的一生雖難免遇到艱難險阻，只要不氣餒，勇往直前，必有所成！古人愛龜較今人甚之，蓋因其為長壽之表徵也，故有「龜鶴遐齡」之祝，今則喜用「松鶴遐齡」為祝詞也！

行楷

甲骨文

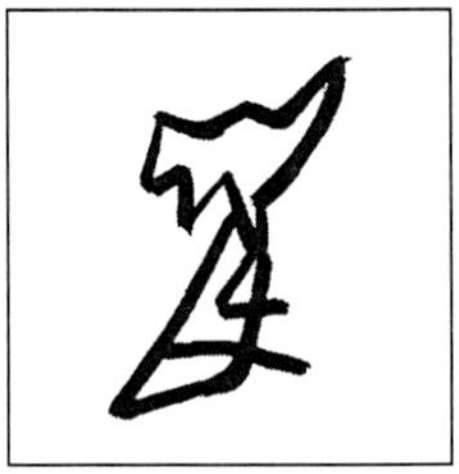

金文

小篆

行書

甲骨文：上部是頭，頭上有角形，中間及下方是龍身龍尾，中間的左邊是龍腹，右邊是龍背，是一條龍的圖形，故為象形字。

金文：與甲骨文不同，頭上有角，頭下的嘴張開看到利齒，右下方是彎曲的龍身，較甲骨文為細長。

小篆：由金文演變而來，但變化極大，左邊像龍角龍身，右邊像龍頭龍鬚。

楷書：由小篆之形體演變而來，仍有古義。

簡化字：「龙」：用行書的右半邊簡化而成。

◆古義

《說文》：「龍．鱗蟲之長，能幽能明，能細能巨，能短能長，春分而登天，秋分而潛淵。」龍是古代傳說中的一種象徵吉祥的動物，頭有角、鬚，身有鱗、腳，能飛天入水，興雲作雨。「廣雅」：解註「有鱗曰蛟龍，有翼曰應龍，有角曰虬龍，無角曰螭龍，未升天曰蟠龍。」「爾雅．釋畜」：「馬高八尺為龍馬。」古時將皇帝比喻為龍，皇帝穿的衣服稱「龍袍」，皇帝威儀的容顏稱「龍顏」，皇帝的子孫稱「龍種」。「龍」亦作「寵」。「詩經．商頌．長發」：「何天之龍。」承受上天賞賜的寵愛和榮耀。

◆今意

至今，龍仍是傳說中的神物，代表祥瑞。現在沒有皇帝了，但堪輿家在看風水時，仍跑遍山頭尋找「龍脈」、「龍穴」，對俊美男子稱其為「龍陽之姿」，對特別有本事的人稱「人中之龍」！每個父母都希望兒女成龍成鳳，每當龍年，生育率特高，因為大家都想生個龍子龍女。現在用人造化學纖維製成的衣服亦稱「尼龍」、「達克龍」等，大家都能穿上「龍」衣，只是衣上沒繡著飛舞的「龍」！

父母望子成「龍」，望女成鳳，嘔心瀝血的全力培養，一旦成龍成鳳，就飛得高遠，不在父母身邊，但願能經常飛回老巢，看看那一雙老邁孤寂的老鳥！

行楷

金文

小篆

行書

金文：上半部是個「羊」，羊下是條魚形，是一種魚的名字，叫「鮮」，是個會意字。

小篆：「魚」與「羊」分成左右兩邊，字由長形變成方形。

楷書：由小篆字形演變而來，仍是「魚」與「羊」的組合。

簡化字：「鮮」：「魚」的四點水用行書的筆法，以一橫簡化之。

◆古義

《說文》：「鮮，魚名，出貉國。」「貉（音末）」與「貊」同，是一種像貍的獸，皮毛可製裘衣。「貉國」即是現在的朝鮮。因名叫「鮮」的魚，其味極美，故後人借「鮮」為新「鮮」的生魚。「禮記．內則」：「冬宜鮮羽。」「羽」是指釣魚的浮標，冬天漁獲量少，多為鹹魚、臘魚，要能吃到剛釣起的鮮魚是最好的。新殺的鳥獸魚鱉之肉亦曰「鮮」。亦有「鮮明」之義。「易經．說卦」：「其究為健，為蕃鮮。」「究」乃「極」也，「震卦」動至極點，則至剛健，象徵植物茂盛而鮮明。衣著、花朵鮮明美麗稱鮮豔。「鮮」當「少」用時，讀音為「險」。「論語．學而」：「其為人也孝弟，而好犯上者，鮮矣。」他是一個孝順父母、尊敬兄長的人，但卻喜好侵犯長者，非常少見啊！亦引申為「孤」、「寡」。「詩經．小雅．蓼莪」：「鮮民之生，不如死之久矣。」失去父母的孤兒，不能終養父母，不如早早去去！

◆今意

「鱻」是「鮮」的古字，古時「鮮明」、「鮮新」都用「鱻」字，蓋「三魚」指眾魚，魚多而其味不變為「鱻」，後因「鱻」、「鮮」義同，遂捨繁取簡，「鱻」即少用！「尠」與「尟」（音顯）同，鮮少之義，是「鮮」的另字，現已不用。今人常從字面解釋，以「魚」加「羊」合煮，其味鮮美，實非其本義！現在只要「甫現」之物，均可言「鮮」，剛出爐的麵包，現宰殺的牲畜，剛擠出的牛奶，雞鴨剛下的蛋，現摘的蔬菜等，大學一年級叫「新鮮人」，沒聽過的事叫「新鮮事兒」，可多啦！

行楷

甲骨文

金文

小篆

行書

甲骨文：上半部是一隻鳥形，臉部朝左，身羽振翅的樣子，下半部是一隻手形，用手抓住了一隻鳥，「獲得」也，是個會意字。

金文：由甲骨文演變而來，上部的鳥形漸漸變成「隹」字形，下方依然是手形。

小篆：左邊多了條「犬」，獵捕大的獸類是需要獵犬的。鳥頭上多了兩根羽冠，較金文充實些。

楷書：由小篆字形演變而來，其義相同。

簡化字：获：草下兩條「犬」，必有獵獲，亦用於「禾」旁之「穫」。

◆古義

《說文》：「獲，獵所獲也。」打獵所得也。「詩經．秦風．駟驖」：「公曰左之，舍拔則獲。」「舍拔」指發箭，王公吆喊射牠左邊的心臟，箭出即有所獲也！故知「獲」之本義為「打獵所得」也！「論語．雍也」：「仁者先難而後獲，可謂仁矣！」宅心仁厚的人，處理事情必先考慮到最難之處，才能得其效果。「論語．八佾」：子曰：「不然，獲罪於天無所禱也。」其實不然，如果得罪了上天，即使向眾神求禱，也沒用啦！「獲」亦指「奴婢」，古時因犯罪被沒官為奴者稱「臧」，逃亡被抓回為奴者稱「獲」，故「臧獲」皆犯罪為奴之婢也！當「獲」讀「懷」音時，是指河北省獲鹿縣。

◆今意

「犬」字邊「獲」是打獵所得，「禾」字邊的「穫」是收割五穀之所得也，雖兩者均指「所得」，但常容易混用，通常我們對農作物的收成稱「收穫」，亦引申為泛指努力耕耘後之所得，這個「穫」是個名詞，而「獲得」、「獲罪」、「獲救」、「獲利」等之「獲」是個動詞，「獲」與「穫」並不通用，但兩者混用亦非大錯，只是稍有不妥而已，如「不勞而獲」如寫成「穫」字，即有語意不詳之感，大陸的簡化字將兩者併為一「獲」字，就無錯用的困擾了！

行楷

甲骨文

金文

小篆

行書

甲骨文：左邊是個「彳（音斥）」字，是行動的符號，右邊是個「瞏」，表聲，去而復返，「返」是一種動作，是個形聲字。

金文：由甲骨文演變而來，「瞏」的中間多了一個「口」形的環狀物。

小篆：「返回」需要用腳表示行動，故「彳」與「止」成了「走之」旁的「辵（音綽）」部，右邊的「瞏」較金文複雜。

楷書：由小篆演變而來，「辵」部寫成了「走之—辶」旁。

簡化字：「还」：是楷書的簡體字，亦用之於簡化字。

◆古義

《說文》：「還，復也。」即返也，歸也。「詩經．小雅．何人斯」：「爾還而入，我心易也。」「易」者，喜悅也，你上朝返歸，進我家門，我心就感愉悅。「唐．李白．蜀道難」：「問君西遊何時還，畏途巉巖不可攀。」你遊西蜀，何時歸來？路艱山險，不易攀也！故知「還」之本義為「返回」、「歸來」。亦引申為「歸還」、「償還」。「唐．張籍．節婦吟」：「還君明珠雙淚垂，恨不相逢未嫁時。」含著眼淚歸還所贈明珠，只恨未嫁之前未能相遇！「還（音旋）」亦通「旋」，旋轉一瞬間也，「漢書．徐樂傳」：「雖有強國勁兵，不得還踵而身為禽。」當「還」讀音為（孩）時，其義為「猶」也、「尚未」也，如「努力不夠，還要加把勁兒。」

◆今意

現在多以「回」家、「返」家代替「還」家，而「還」多用於「歸還」、「返還」，欠別人的債要歸還，金錢的債好還，感（人）情的債難還。尊稱別人的來信叫「華翰」，尊稱別人的回信叫「還翰」、「還雲」。到廟裡拜拜。許祈心願，當如願以償後，必須履行所許以謝神，叫做「還願」。敬備酒席以回請對方稱「還席」。「還」字用得最傳神的要數李白的：「朝辭白帝彩雲間，千里江陵一日還。」不但說出「還」之本義，「還」點出心情與速度，如此解釋你如「還」不懂，那就再多讀幾遍吧！

行楷

金文

小篆

行書

金文：左邊是個「彳（音斥）」，是行動的符號，右上是個蠍子，上面一對蠍鉗，下面是蠍尾，右邊最下方是腳「止」，「蠍」是「萬」的象形字，「萬」表聲，是個會意兼形聲的字。

小篆：「彳」與「止」成了「走之」旁的「辵（音綽）」部，原本象形的蠍子變成字形的「萬」，仍有蠍子爬行之意。

楷書：由小篆演變而來，「辵」部寫成了「走之—辶」旁。

簡化字：「迈」：是楷書的簡體字，亦用之於簡化字。

◆古義

《說文》：「邁，遠行也。」「詩經．王風．黍離」：「行邁靡靡，中心搖搖。」「行邁」即「行走」，「靡靡」指「遲緩」，「搖搖」是心神不寧，意即「我走路遲緩，邁不開步子，心中又心神不寧。」故知「邁」之本義為「行走」，引申為「超過」，「三國志．魏書．高堂隆傳」：「三王可邁，五帝可越。」「三王」是三代夏、商、周三位開國的君王，「五帝」有多種說法，史記以黃帝、顓頊、帝嚳、唐堯、虞舜為五帝。古時天子以時巡行曰「邁」，「詩經．周頌．時邁」：「時邁其邦，昊天其子之。」「邁」指巡視，周王按時巡視各國，上天應會視其如子也！亦引申為「老」，如「年邁」，由「年邁」引申為「消逝」，「詩經．唐風．蟋蟀」：「今我不樂，日月其邁。」今天我如不即時行樂，光陰立即消逝。「邁邁」是不高興的樣子。「邁」與「勱」通，「勱」是勉勵之義。

◆今意

「邁」是超越，天下做父母的都努力而認真的培養孩子，從小就不讓孩子輸在起跑點上，從小到大都希望「超越」同儕，成龍成鳳。但關鍵還得看孩子的努力與心態，所以年輕人一定要趁著年輕時「邁大步，走正路。」莫待年邁之時，老態龍鍾，舉步維艱，都要坐輪椅的人，那還能「邁步」？更別再想「超越」別人了，是故年輕人應「邁迹自身」（奮發向上、自立自強），否則「吾心邁邁」矣！

人到老年，氣血衰退，謂之「老邁」，雖然年老，身體一定要照顧好，別給兒孫添麻煩，要每天都充實，自己活得精彩！

行楷

甲骨文

小篆

行書

甲骨文：左邊是個「彳（音斥）」，是行動的符號，中間是背對著「刑刀」的人形，右邊是個「辛」，代表「刑刀」，人用行動「刑刀」之義，是個會意字。

小篆：左邊行動的符號「彳」變成「辵（音綽）」旁，中間的人形變了方向，右邊是個「辛」字。

楷書：由小篆演變而來，「辵」部寫成了「走之—辶」旁。

避之簡化字與繁體字相同。

◆古義

「玉篇」：「避，迴避也。」「迴避」亦即「回避」，不正面相迎，繞道而避之，「史記．藺相如傳」：「望見廉頗，引車避匿。」藺相如看見廉頗，便即將車轉向躲避之。「禮記．儒行」：「儒有內稱不避親，外舉不避怨。」「稱」者，舉也，賢者推舉人才，據之以理，不避開親人等的選項，故知「避」之本義為「躲避」、「躲開」。因「躲開」而引申有「免除」之義。「呂氏春秋．介立」：「脆弱者，拜請以避死。」「避死」者，免除死刑之謂。亦有隱遁世外之義謂「避世」、「遁世」，避亂於他鄉謂「避地」，如陶潛桃花源記中所述「避秦之亂」。「避」與「辟」同，「論語．憲問」：「賢者辟世，其次辟地，其次辟色，其次辟言。」賢者見世道淪喪，就避世隱居，見此處不好，便避居他處，見他人言辭臉色不對，便避而不見，與人話不投機，便避開不言。

◆今意

「避」之本義為「躲避」至今未變，孔子所言「辟世、辟地、辟色、辟言。」如世道淪喪，應挺而救之，且莫獨善其身。居處動亂危險，也不能買張飛機票一走了之，是這個社會的一分子，就要有一份社會責任。別人臉色不好看，言語不投機，不能就老死不相往來，要探究其因以改之，如果人人都遇事逃避、不敢勇於面對，那來和諧、進步、繁榮的社會？世上又有幾處世外桃源能讓你去「避」？

家是遊子的「避風港」，失意時、鬱不得志時，回家「避避」，頗感溫暖！但得意時，也別忘了有個家！

行楷

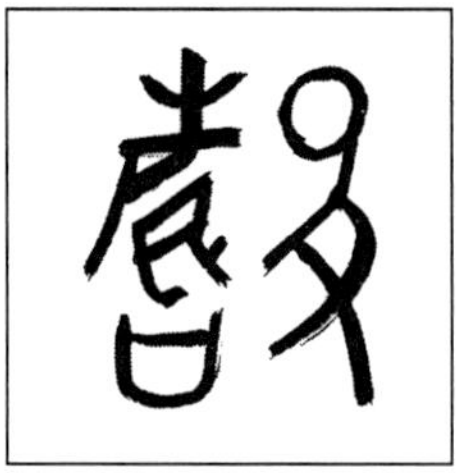
甲骨文

石文

小篆

行書

甲骨文：左上方是一個「磬」，「磬」是用石或玉做的古樂器，右下方是一隻手拿著敲打樂器的小槌子，左邊中間是「耳朵」，下方是「口」，有樂器伴奏，有「口」唱歌，「耳朵」在飽聽這些「聲」音，是個會意字。

石文：由甲骨文演變而來，小棒槌與「磬」換了位置。

小篆：依甲骨文的字義演變而來，只是少了「口」形。

楷書：由小篆字形轉換而來。

簡化字：「声」：是「聲」的簡體字、俗字，大陸亦用之為簡化字。

◆古義

《說文》：「聲，音也。」物體震動所發之音為聲，宮、商、角、徵、羽為五聲之音。故知「聲」之本義為「聲音」。「詩經・大雅・皇矣」：「予懷明德，不大聲以色。」我眷懷德行光明之人，他不重視言語和面貌。「易經・乾卦」：子曰「同聲相應，同氣相求。」天地之間音調相同的生物相互感應，氣息相同者彼此求合。「聲妓」指古時能唱歌的妓女、女樂。好的名聲傳之千里稱「聲名遠播」，如「皇甫謐：高士傳」：「段干木賢者也，隱處窮巷，聲馳千里。」另「聲動梁塵」指歌聲高亢動人，屋梁上的灰塵亦振動飛舞。語出「劉向別錄」：「漢興，魯人虞公尚雅歌，發聲盡動梁上塵。」

◆今意

「聲音」常與「音樂」連動，但我常說：「聲音不是音樂，藏在聲音裡的感情才是音樂。」音樂是有感情的，說話如果帶有豐富而又動人的感情，那也是一種音樂。好的音樂能繞樑三日，不絕於耳！「唐・李白」與韓荊州書：「一登龍門，則聲價十倍。」今人則習慣用「聲價百倍」來形容名聲和地位的提高，但儘量不要寫成「身價百倍」，以免有「賣身」之嫌！

「居廟堂之高則憂其民」，主政者應體察民瘼，多聽聽老百姓的「心聲」，民眾的心聲代表老百姓的需求和輿論，一定要重視！

行楷

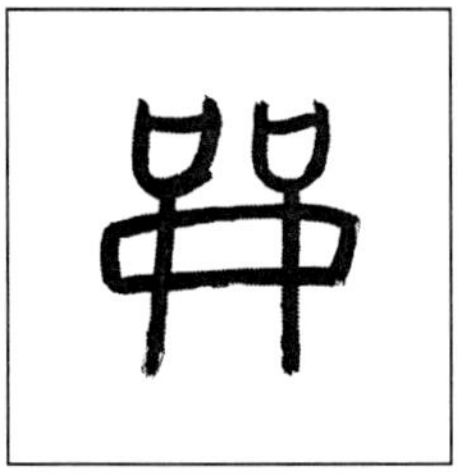
甲骨文

金文

小篆

行書

甲骨文：上面兩個「口」是指用口吹奏的兩根管樂器，中間的方框是將兩根管樂器編排在一起，最初管上有三孔，是個象形字。

金文：由甲骨文演變而來，編排的管樂器多了一些，所奏之樂亦更顯豐富。

小篆：管樂器多了，故稱加了一個「口」，樂器的排列對稱而美觀，上端多加了「A」字，是小篆時期的形體，表示「集」、「合」、「遮蓋」等義。

楷書：由小篆筆法轉換而來。

龠之簡化字與繁體字相同。

◆古義

《說文》：「龠，樂之竹管，三孔，以合眾聲也，從品，侖，侖理也。」「龠」音（月），通作「籥」，「詩經．邶風．簡兮」：「左手執籥，右手秉翟。」左手拿著六孔的笛子，右手握著野雞的長尾毛。「龠」有三孔、六孔或七孔之分。視吹舞不同而異，吹以和調者三孔，合舞者六孔或七孔。

「龠」亦通「鑰」，語音（耀），扃門之鎖也，亦即開鎖之具也。「鑰」以閉戶，鍉（音池）以啟鑰，「鑰鍉」俗作「鑰匙」。「龠」亦古代的量器，「漢書．律曆志」：「量者，龠、合、升、斗、斛也。」十龠為合，十合為升，十升為斗，五斗為斛也。

◆今意

「龠」是古代竹子做的管樂器，因係用竹子做的，故在詩經時期就在頭上加了「竹」頭為「籥」字。由字形的演變知道兩根笛子太單調，其後慢慢變成排笛，一笛獨奏頗顯淒涼，如數笛同奏，則歡聲愉悅也！至今「龠」字則常用在「鑰匙」上，而其本義所指之「笛」其造型也有極大改變，除用於管弦樂團之演奏外，已不用於伴舞了，如果笛聲伴國標舞，不知是否是個創意？

行楷

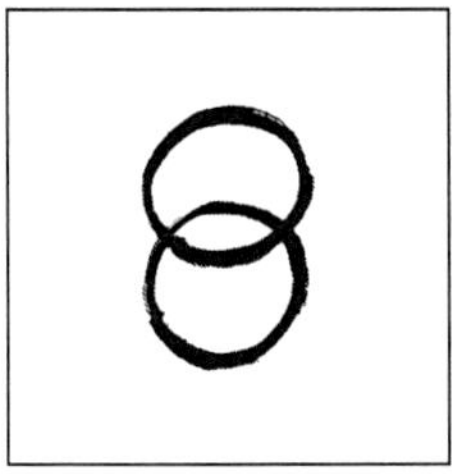

金文

金文

小篆

行書

金文：兩個圈狀的環套在一起，是個象形字。

金文：也是金文的一種形體，上面是一隻大眼睛，眼睛下面是件寬大的衣服，衣服中間有個大圓環，表示眼睛正看著這大環。

小篆：因為環都是用玉做的，故在左邊加了個「玉」旁，右邊由金文演變而來，上為目，下為形體，整個字變成左形右聲的形聲字了。

楷書：由小篆演變而來，仍有古義。

簡化字：「环」：將楷書右邊下半段以行書的筆法簡化之。

◆古義

《說文》：「環，璧屬也。」璧者，瑞玉圜器也。以玉石雕琢成的圈子，通稱「玉環」。「禮記・經解」：「行則有環佩之聲。」故知其本義為「玉環」。古有笑話一則，有一嗜作「十七字」詩者，其中一首是在縣太爺大堂做的，詩謂「夫人過華堂，環佩響叮噹，金蓮三寸長，橫量。」「金蓮」是指古時女子的小腳，玉的飾物碰在一起是會發出聲音的。引申為圓形而中空的東西或飾物均稱「環」，如「門環」、「鐵環」、「耳環」、「手環」、運動的「雙環」等。「詩經・秦風・小戎」：「游環脅驅，陰靷鋈續。」「游環」是置於馬體兩側的金屬環，便於策馬前行之環也。

◆今意

今日之「環」用於形容「玉環」等飾物者已漸少之，將花結成圈形的「花環」倒常用於慶典，迎賓等場合，更常用於自然景物的環繞、群山環抱、四面環海等，亦因四周境界中的一切現象，引申為「環境」，因而有「環境保護」、「環境再造」、「杜絕環境汙染」等措施，對交通建設或某種大型活動須先做「環境影響評估」，以避免嚴重破壞自然生態。地球是圓的，所以「環球」就是指全世界，或繞著地球一周之謂。

求學問、做事情都要合邏輯、知周延，才能按部就班，「環環相扣」，無有疏漏也！

行楷

甲骨文

金文

小篆

行書

甲骨文：是一個裝滿祭祀物品的器皿，上端器皿裡有兩個像「羊」的祭品，表示祭祀品很豐盛，是個會意字。

金文：由甲骨文演變而來，較簡化了些。

小篆：較金文複雜了些，下半部變成了「豆」字。

楷書：由小篆字形轉換而來。

簡化字：「丰」：是楷書的簡體字，亦用於簡化字。

◆古義

《說文》：「豐，豆之豐滿者也，一曰器名。」祭祀時，器皿裡裝滿了豐收的豆子，亦指祭祀的器皿。「儀禮．公食大夫禮」：「飲酒實於觶，加於豐。」「觶（音志）」是可裝三升的酒器，「豐」乃承觶者，即裝酒的器皿也，故知豐之本義為「豐盛」及「器皿」。因裝滿祭祀物品而引申為「豐滿」，「詩經．鄭風．丰」：「子之丰兮，俟我乎巷兮。」「丰」是「豐」的簡體字，在古時已有，詩意為：你如此豐滿健壯，等候我在巷口。「豐」亦「多、大、盛也」，「易經」中有「豐卦」，「象曰」：「豐，大也。」「豐其沛」、「豐其屋」指雨下得很大，房屋很高大。「豐」亦「茂盛」也，「詩經．小雅．湛露」：「湛湛露斯，在彼豐草。」濃盛的露水珠兒，凝結在茂盛的草上。秋收歲熟亦曰「豐」，「詩經．周頌．豐年」：「豐年多黍多稌。」「黍」似小米、性黏，「稌（音圖）」者，糯稻也！

◆今意

古時說人體態「豐盈」、「豐滿」是讚美之詞，今者，可能有很多人不喜歡聽，尤其是女生！如用「豐肌弱骨」，女生一定喜歡，因為那是形容體態輕盈，肌膚豐滿也！做人不能「豐取刻與」，自己貪得無厭，卻吝嗇給予他人。自己如「豐衣足食」，過著富裕的生活，也要對窮困的人慨伸援手！「豐草綠縟」是要有好的環保，綠草才會長得像鋪在地上的被子。我喜歡書法上的「豐筋多力」，字有筋，又力透紙背也！

「國富民豐」是國庫富有，百姓豐盈，國家富強的先決條件是百姓要先富起來分，這樣的「國富民豐」才能長久！

行楷

甲骨文

金文

小篆

行書

甲骨文：上半部是一隻鳥，鳥下是一把捕鳥的長柄網，用柄網捕鳥，是個會意字。

金文：上半部的鳥變成兩個「木」，在樹林中捕鳥之謂，下半部的網柄變得複雜了些。

小篆：分左右兩邊書寫，左上方把「林」簡化為「木」，木下為網柄，右邊的鳥變成了「隹」字。

楷書：由小篆字形演變而來。

簡化字：「离」：「离」指山神，亦指猛獸，為「魑」之本字，「离」古與「離」同，故用為「離」之簡化字。

◆古義

《說文》：「離，黃倉庚也，鳴則蠶生，從隹、离聲。」「倉庚」亦作「倉鶊」，即「離黃」也，色黃而美，今稱「黃鶯」，多生於中國南方、韓國及印度等地，鳴聲悅耳，春鳴之時亦即蠶生長之時。「詩經．豳風．七月」：「春日載陽，有鳴倉庚。」春天到了，太陽暖和和的，黃鶯鳥兒開始唱起歌來。「離」之本義為「捕（黃鶯）鳥」，引申為「遭」、「罹」等義，黃鶯被捕即遭到或罹難之謂。「易經．小過」：「弗遇過之，飛鳥離之。」與陽剛之氣遇合而又超時，有如飛鳥遭到捕殺。未捕到鳥，鳥兒飛離柄網而去，故後人借「離」為離去之義，「詩經．王風．中谷有蓷」：「有女仳離，條其歗矣！」「仳離」即離別，此處言遺棄，「歗（音嘯）」即嘯也，有個子女被遺棄了，條然（獨自）長嘯啊！「離」亦有「經歷」、「陳列」等義。

◆今意

今之「離」多用於「分離」、「分散」、「離開」等。佛教圓覺經：「不即不離，無縛無脫。」不太親近，亦不疏遠，不被束縛，亦不逃脫，可作為現代與人相處之道也！夫妻願同甘共苦直至白頭者，稱「不離不棄」，但現在離婚率卻特高！人可以「離鄉背井」去求學、工作，卻不能「離群索居」不要同學、朋友！我喜歡「宋．吳文英」的說愁詩：「何處合成愁，離人心上秋。」在那裡能把「愁」字合起來啊！是在離人的心上，「心」上加「秋」是「愁」也！

人有悲歡離合，短暫的「離別」已夠悲傷，永久的「別離」更是淒涼，如蘇東坡所言：「此事古難全」。

行楷

甲骨文

籀文

小篆

行書

甲骨文：上半部是被霧壟罩的天空，下半部是隻鳥形（隹），鳥鳴表示天起大霧，不能在空中飛翔，是個會意字。

籀文：霧茫茫的天空變成了「雨」字，下半部的鳥形變成了「矛」字，均依甲骨文之形演變而來。

小篆：上為「雨」，下為「敄」表聲，此時變成了形聲字，「霚」是「霧」的本字。

楷書：由小篆演變而來，下半部變成「務」字。

簡化字：「雾」：「雾」之上半部仍為雨，下半部「务」是楷書「務」的簡體字。

◆古義

「爾雅．釋天」：「天氣下，地不應曰雺。地氣發，天不應曰霧。霧謂之晦。」「雺（音矇）」是霧氣昏暗不明，當唸「物」音時，即與「霧」同。天上的空氣下降，而大地不接應吸納，即形成「雺」；地上的空氣上升，而天空不接應吸納，即形成霧。「霧」亦稱晦，與「雺」同為昏暗之義。「宋．楊萬里」：「霧外江山看不真，只憑雞犬認前村。」大霧籠罩，看不清霧中景物，只能憑著雞犬的叫聲辨別方向。「霧豹」一詞出自「列女傳．賢明」陶答子之妻大義曉夫之語，後人以之比喻隱晦躲藏，以遠避禍害！「霧鬢風鬟」是形容婦女髮型很美。「宋．范成大」詩：「花邊霧鬢風鬟滿，酒畔雲衣月扇香。」

◆今意

「起霧」是大自然的現象，地面的水蒸氣上升後，遇到空中的冷空氣，凝結成細微的水滴，懸浮瀰漫低空，稱之謂「霧」。霧中看不清楚方向，所以開車要慢行，打開大燈，並加警示閃燈，讓別車能看到你。有一說法，在大霧中開車，戴上太陽眼鏡會看得比較清楚，不妨一試！如果是老花眼，那就沒法啦！杜甫詩：「春水船如天上坐，老年花似霧中看。」比喻老眼昏花，看事情不真切，有如霧裡看花之謂！

亞熱帶地區，日夜溫差如太大，懸浮水滴會像牛毛般細雨落下，稱「霧雨」，這是其他地區少有的。

行楷

金文

小篆

行書

金文：上半部是一個人的背部，中間一根脊椎骨，下部是個「攴（音撲）」字，以手執鞭擊打人的背部，是個象形字。

小篆：左邊是個「革」，因鞭多採動物的皮革做成，中間是個人形，右上為人的背，右下為「攴」，形成「便」字，表聲，此時變成形聲字。

楷書：由小篆字形演變而來，已不見擊打之形。

鞭之簡化字與繁體字相同。

◆古義

《說文》：「鞭，驅也。」「驅」者，策馬也，走馬謂之馳，策馬謂之驅，馳乃大驅，使馬疾奔。「玉篇」：「鞭，笞也，馬箠也。」笞是擊打，「箠（音垂）」是馬鞭，執鞭擊馬使之前行也。鞭亦古「杖刑」，鞭背之刑始於魏朝，犯人屬笞刑者，以皮革鞭其背。故知「鞭」之本義為持馬鞭而鞭打。「史記．伍子胥傳」：「乃掘楚平王墓，出其尸，鞭之三百然後已。」故有「伍員烈士，鞭屍猶恨楚平王。」之詩句。「論語．述而」：子曰「富而可求也，雖執鞭之士，吾亦為之。」「執鞭」是指下人的差役。「多爾袞致史可法書」：「將以為天塹不能飛渡，投鞭不足斷流耶？」「鞭」亦古兵器之一種，比馬鞭要長許多。

◆今意

古之鞭多用於策馬，使之前行，馬車是重要的交通工具，戰馬則是戰爭致勝的關鍵，馬亦是遊牧民族驅趕牲畜的重要依據，但至今日，馬之用途已少，馬鞭亦難一見，鞭刑亦已廢除，但在新加坡這個國家裡仍實施鞭刑，雖不人道，但遏止作奸犯科，非常有效！我們現在常用「鞭長莫及」的成語，語出「左傳．宣公十五年」：「雖鞭之長，不及馬腹。」原義是指鞭雖長，但不能鞭擊馬腹，因馬腹非鞭擊之處也，今則對力有未逮之事以此語形容之！

行楷

甲骨文

金文

小篆

行書

甲骨文：頂上是兩隻大眼睛，中間是個鳥形，鳥頭嘴部朝左，頭下是鳥身及翅膀，是個「隹」字，下端是鳥巢。像一隻猙獰雙眼，翹頭棲巢的鴟（貓頭鷹），是個象形字。

金文：頂上的眼睛變成兩隻下垂的耳朵，中間仍是「隹」字，下方更像鳥巢的樣子。

小篆：由金文演變而來，鳥巢稍有變化。

楷書：由小篆字形演變而來。

簡化字：「旧」：本是「舊」的俗字，大陸地區以之為簡化字。

◆古義

《說文》：「舊，鴟舊。」「鴟（音吃）」者，俗稱鵂鶹，亦即貓頭鷹類。「詩經．豳風．鴟鴞」：「鴟鴞鴟鴞，既取我子，無毀我室！」貓頭鷹阿貓頭鷹，你既已奪取我子（此指周公誅管叔，放逐蔡叔），就不要再毀壞我家！故「舊」之本義是「貓頭鷹」，後人借為「新舊」的「舊」後，其本義即消失也！「詩經．豳風．東山」：「其新孔嘉，其舊如之何？」她在新婚之時很漂亮，分別已久，不知現在如何？「新」是「舊」的對義字，如「不新」即有「陳舊」之義。引申為「故交」曰「舊」。「論語．泰伯」：「故舊不遺，則民不偷。」「偷」者，民風澆薄不正也，居上位之君王能不棄故舊之賢臣，則民風就會純樸而不澆薄了。「舊雨新知」是指老朋友與新知音（新朋友）也！

◆今意

「舊」是貓頭鷹的本義已失，現在東西用久了、朋友交久了都叫「舊」，舊東西要丟掉，老朋友卻是最珍貴而不能遺棄的，尤其上了年紀的人、老伴、老本、老友三者是不可或缺的！人老了，最高興的事莫過於「舊地重遊」、「舊夢重溫」、「舊書不厭百回讀」！傷感的是「舊疴新恙」，全身是病，悲哀的是漸失智，只記得以前的事，十句話有八句都是「舊事重提」、「舊調重彈」，老年人都懷舊啊！

「唐．崔護．題城都南莊」：「人面不知何處去，桃花依舊笑春風。」「舊地重遊」，「桃花依舊，而伊人何處？」這心情誰懂？

行楷

金文

小篆

行書

金文：上面是一「廌」形，「廌」是傳說中的獨角怪獸，專門觸刺不正直的人，下方四周是長滿的「草」，獸所食之草也，是個會意字。

小篆：「草」移至頂端，草下仍是隻獨角獸的形象，仍可看出獨角與四肢的樣子。

楷書：由小篆字形演變而來，四肢變成四「點」。

簡化字：「荐」：俗用於「荐舉」之荐，亦用於簡化字，與「薦」同。

◆古義

《說文》：「薦，獸之所食草。」獸是一種像「薦（音志）」的獨角怪獸，又名「解廌」，其形或云似鹿、或云似神羊，或云如山牛，其性忠貞，能辨忠奸，古時常立於訟庭，以觸不直者。其所食之草即為「薦」草也。「莊子・齊物論」：「麋鹿食薦。」亦泛指六畜所食之草曰「薦」，以草編織或坐或臥之墊稱之為「草墊」、「草蓆」。將「草蓆」置於地，祭品列其上以祭者稱「薦」，亦即陳獻也！「論語・鄉黨」：「君賜腥，必熟而薦之。」國君賞賜的生肉，必定煮熟後才獻祭祖先。由「進獻」引申為「薦舉」、「推薦」。「後漢書・郎顗傳」：「顗又上書薦黃瓊、李固。」「薦」亦有「重複」、「屢次」之義。「詩經・小雅・節南山」：「天方薦瘥，喪亂弘多。」老天爺屢次降臨災禍，死喪太多啦！

◆今意

「薦」是古代能辨是非忠奸的獨角獸，立之刑庭，以去不法，故「法」之古字為「灋」，以「廌」去除邪惡，加「水」表示「公平」如「水平」，現在的法院亦多保留此字，但亦用「天平」表示審案公正。古時遊牧民族，逐水草而居，居無定所者，稱「薦居」，今之流浪漢亦居無定所，稱「遊民」或「街友」。「薦」今多用於「舉薦」、「推薦」，亦多寫成「舉荐」、「推荐」。「薦賢自代」是舉薦賢能之人來替代自己，如堯舜之「禪讓」美德也！

行楷

金文

小篆

行書

金文：上面是兩隻嘴巴朝左的「隹」，「隹」是短尾鳥的總稱，下面是一隻手，一手執兩鳥，「雙」也，是個會意字。

小篆：與金文相同，唯手形稍有變化。

楷書：由小篆字形演變而來，仍能看出手執兩鳥。

簡化字：「双」：亦是俗寫字，行書多用之。

◆古義

《說文》：「雙，隹二枚也，從雔，又持之。」「隹（音追）」，短尾鳥的總稱，「二枚」即雙也，一對也。「儀禮．聘禮」：「凡獻執一雙。」凡恭敬送人的東西一定是成雙成對的兩個。「詩經．齊風．南山」：「葛屨五兩，冠緌雙止。」「葛屨」是用葛藤編織的草鞋，「五兩」是成雙之義，「冠」之左右有兩纓，綁結於頷下後，餘散而下垂稱「緌（音ㄖㄨㄟˊ蕤）」。纓雙緌亦必雙也。故知「雙」之本義為「兩個」、「一對」。男女為一「對」故亦「偶」也。「史記．淮陰侯傳」：「至如信者，國士無雙。」像韓信這樣的大才，國中無與為偶也。古人寄書信，常將尺素（書信）結成雙鯉形。「古樂府」：「故人遠方來，遺我雙鯉魚，呼兒烹鯉魚，中有尺素書。」引申為「兩方面」，如「買賣」不是一對，卻是相對的雙方。「雙璧」是指二人並美之稱。

◆今意

「雙」至今仍是「兩個」之義，如「好事成雙」，情侶的「雙雙對對」，古時「凡獻執一雙」，表示敬意，今祝賀別人結婚包「紅包」亦講究「雙數」，如果送個「二百一十元」總顯得不夠禮貌！「雙管齊下」是指宋代郭若虛可左右手握筆作畫，一手畫生枝，一手畫枯幹。今則用以形容同時用兩種方法去做一件事，冀其必成也！現在結婚總喜歡在門上、房裡剪個「囍」字貼上，「雙喜」之義，新郎、新娘之喜，「雙喜」也！

「八月蝴蝶黃，雙飛西園草。」，「在天願做比翼鳥，在地願為連理枝。」萬物皆然，故而人不宜成「單」！

行楷

小篆

行書

小篆：左邊是個「金」，表示金屬製成的物品，右邊是個「竟」字，表聲，是個形聲字。

楷書：依小篆字形轉換而來。

簡化字：「镜」：「鏡」之金旁以草書筆法簡化之。

◆古義

《說文》：「鏡，取景之器也。」段玉裁注：「金有光可照物謂之鏡。」古時以銅為鏡，「釋名」：「鏡，景也，言有光景也。」「景」是「影」的古字，銅鏡清晰度較差，只能照出形影，與今之玻璃鏡相差甚多。「大戴禮·保傅」：「明鏡者，所以察形也。」故知「鏡」之本義為「鏡子」。引申為「鑒」、「誡」，鑒前事以為法戒也。「後漢書·馮勤傳」：「忠臣孝子，覽照前世以為鏡誡。」所謂：「前事不忘，後事之師」也。「鏡考」、「鏡誡」均此義也。亦引申為「明」，光明之謂。古官吏斷案，大堂上常掛「明鏡高懸」匾額，以示明察秋毫，公正無私。「鏡花水月」是指鏡中之花，水中之月，語出明代謝榛：「詩家直說」：「詩有可解不可解，不必解，若鏡花水月，勿泥其迹可也。」原喻詩中之空靈境界，後人喻為不切實際之虛幻事物。

◆今意

古代多以銅為鏡，故稱銅鏡，婦女梳妝用的「鏡奩」今稱化妝箱，「鏡台」今稱梳妝台。「破鏡重圓」是「太平廣記·氣義」中，徐德言與其妻因戰亂各執一半銅鏡，後合鏡團員之故事，今之鏡都是玻璃做的，一旦摔破，再難圓合，常喻為不能復合之義。現在的眼鏡、望遠鏡、攝影機的鏡頭等，其鏡片多半是用玻璃做的，銅鏡只有在古董店或博物館才能看到啦！「明鏡不疲」是指鏡子不會因為被照次數多了而疲累，比喻人的智慧不會愈用愈朽，所以大家要多用頭腦讀書、做事！多用腦，不癡呆！

行楷

甲骨文

金文

小篆

行書

甲骨文：像一個捕鳥的網，網內有一隻被捕獲的鳥，下方是網柄，是個會意字。

金文：外面是一張網形，網內左邊有「絲」，表示網是絲織的，右邊是「攴」字，表示手執網以捕鳥也。

小篆：由金文演變而來，「攴」字變成「隹」字。

楷書：由小篆字形轉變而來，「網」變成「四」字。

簡化字：「罗」：是簡體字，亦是中國大陸所用之簡化字。

◆古義

《說文》：「羅，以絲罟鳥也。」用絲織成的網來捕鳥也！「爾雅．釋器」：「鳥罟謂之羅。」捕鳥之網稱「羅」也！故知「羅」之本義為捕鳥之網也！從「羅鳥」而擴大為「網魚」、「捕獸」之用也！「詩經．王風．兔爰」：「有兔爰爰，雉離于羅。」「爰」通「緩」，舒緩也，「離」通「罹」，遭遇到之義。兔子逍遙在外，野雞卻陷入網內。「新唐書．張巡傳」：「睢陽食盡，至羅雀掘鼠，煮鎧弩以食。」指百姓沒有食物的慘境，網羅鳥雀，挖掘鼠類，煮用皮革製的鎧甲等以充飢。亦有陳列分布之義，「史記．五帝紀」：「旁羅日月星辰。」由此引申為「天羅地網」，無處可逃也！「韓非子．難三」：「以天下為之羅，則雀不失矣！」

◆今意

今之「羅」已不網「雀」，而是網「人」，「網羅人才」也！常見於大型企業的徵人、徵才。「羅」為絲織品，故古有「羅綺」、「羅裙」、「羅襪」等，今則已少用「羅」為名，「羅織」是陷害無辜者，故入其罪也！「羅敷」姓秦，邯鄲人，戰國時趙王家令王仁的妻子，一日採桑陌上，趙王見而悅之欲奪，羅敷彈箏作「陌上桑」盛誇其夫：「秦氏有好女，自名為羅敷……使君自有婦，羅敷自有夫。」趙王乃止。今者常稱已婚婦女為「羅敷有夫」，典出此處也！

行楷

甲骨文

金文

小篆

行書

甲骨文：中間一條彎曲的曲線表示田壟，左右兩邊的小方塊表示田耕過後所種下的作物，是個象形字。

金文：由甲骨文演變而來，其義相同。

小篆：在金文的左邊加了一個田字，變成左形右聲的形聲字。

楷書：由小篆演變而來，右邊變成「壽」字，表聲。

簡化字：「畴」：亦為行書的寫法。

◆古義

《說文》：「疇，耕治之也。」「禮記・月令」：「季夏之月，可以糞田疇。」季夏是指農曆六月，田裡可以施肥了。既然可以施肥，就表示田地已經耕作，故知「疇」之本義為「已耕治之地」也。亦引申為種植之種類，如「黍疇」、「瓜疇」等「範疇」，「疇」亦有「曩」義，曩者，往昔也。「左傳・宣公二年」：「疇者之羊子為政。」「疇者」即「曩昔」也！「疇」亦「等」也，「後漢・祭遵傳」：「疇，等也，言功臣子孫襲封，與先人等。」「疇」亦通「酬」，「疇庸」即「酬庸」，給付出力者之報酬也。另家業世世相傳為「疇」，「史記・龜策列傳」：「父子疇官，世世相傳。」「疇人」是指推定日、月、星辰運行以定歲時節氣的「曆算家」。

◆今意

「疇昔」、「曩昔」現在多用「以往」、「以前」、「過去」、「往昔」等代替。說「疇庸」幾已不見，而多說「酬庸」。現在已無世襲或世代相傳的官職，故「疇官」一詞幾已絕跡！現在的田地仍稱「田疇」，平坦的田地稱「平疇」，而用得最多的是「範疇」，指在某界線之內，亦並非專指田地的範圍，舉凡工作量的大小、多寡，責任的輕重，職權的劃分等，均有範圍和界線，他人不能隨意踰越，否則即有侵權行為！

行楷

金文

小篆

行書

金文：左邊是個「角」形，表形，右邊是個「蜀」字，表聲，是個形聲字。

小篆：由金文字形演變而來，右邊的「蜀」字變化較大，但仍可看出有「野蠶」的原形原義。

楷書：由小篆字形轉換而來。

簡化字：「触」：右邊的「蜀」僅取其「虫」以簡化之，「触」亦為古字，（音紅），是指魚身白而尾赤之魚也。

◆古義

《說文》：「觸，牴也。」「牴」亦作抵、觝，即以「角」抵物、用「角」頂撞也。「易經．大壯」：「羝羊觸藩，不能退，不能遂。」公羊用角頂撞籬笆，反被籬笆纏住，無法後退，亦不能逃走，故知「觸」之本義為「頂撞」。由「頂撞」引申為「接觸」，交會碰觸也。由「碰觸」而引申為「碰撞」。「韓非子．五蠹」：「兔走觸株，折頸而死。」奔跑的兔子撞上了樹，頸部折斷而亡。由「碰撞」引申為「觸犯」，「漢書．元帝紀」：「去禮義，觸刑法。」不講禮義，就會觸犯刑法也！因「觸」及而會「動」，又引申為「觸動」、「觸感」，因相互觸動，心中所生之感覺、感觸也！「觸迕」是「冒犯」，「晉書．唐彬傳」：「順從者謂為見事，直言者謂之觸迕。」順從的人是懂事、明理，說真話的人就是冒犯，迕逆也！

◆今意

由古之「以角抵物」到現在的「兩物相遇」，「觸」字的運用愈來愈廣，有「接觸」、「感觸」的正義詞，亦有「觸怒」、「觸犯」的反義詞。節足動物頭上的感覺器官稱「觸角」或「觸鬚」，行船碰到暗礁稱「觸礁」，亦引喻事情進行不順利，物體碰到電流稱「觸電」，碰到不好的事叫「觸霉頭」，最令人感慨而思緒澎湃的是「觸景生情」，最恐怖驚駭的是「觸目驚心」，最讓大家感到興奮的是在學習過程中能「觸類旁通」、「舉一反三」也！

行楷

甲骨文

金文

小篆

行書

甲骨文：上半部左右是手形，中間是一個口朝下的容器，口下是倒出已融化之金屬液體，下半部是個鑄造模型，是個會意字。

金文：由甲骨文演變而來，兩隻手形簡化掉了。

小篆：變得複雜多了，左為「金」，金屬所製，表形，右邊變成「壽」字，表聲，此時成了形聲字。

楷書：由小篆字形轉換而來。

簡化字：「铸」：「铸」是楷書的簡寫，將「金」再予簡化即成今之簡化字。

◆古義

《說文》：「鑄，銷金成器也。」銷者，鑠金也。「顏師古」注：「凡金鐵銷冶而成者謂之鑄。」「玉篇」：「鎔鑄也。」「左傳、昭公二十九年」：「鑄刑鼎、著范宣子所謂刑書焉。」鎔化金屬鑄造刑鼎，將范宣子所著刑書鐫刻其上。故知「鑄」之本義為「鑄造」。亦引申為「教化」、「培養」。「法言，學行」；「或曰；人可鑄與？曰：孔子鑄顏淵矣。」有人問：人可以教化培養嗎？答以：孔子教化培養顏淵。亦引申為「造」，鑄造，鑄成也。蘇東坡詩：「不知幾州鐵，鑄此一大錯。」典出「通鑑、唐昭宗三年」；羅紹威悔曰：「合六州四十三縣鐵，不能為此錯也。」此即「鑄成大錯」之出處也！

◆今意

現在鑄銅像、鑄造金幣、銀幣、鎳幣等，仍先打模，再注入金屬溶液，冷卻以成，這些都需要一段很長的過程，鑄成不易！但現在引申的「鑄錯」卻是瞬間的一剎那的，因憤怒、失神或無心即鑄成大錯，即所謂成功絕非偶然，失敗必是偶然也，「鑄山煮海」是古人採山裡的銅礦鑄成錢幣，把海水煮成鹽巴，減輕百姓稅賦，使國富民安，今則，鑄山煮海之義已變為鼓勵百姓努力工作，提高生產量，俾使國家經濟力提昇也，古之鑄人，現則為培養造就人才！

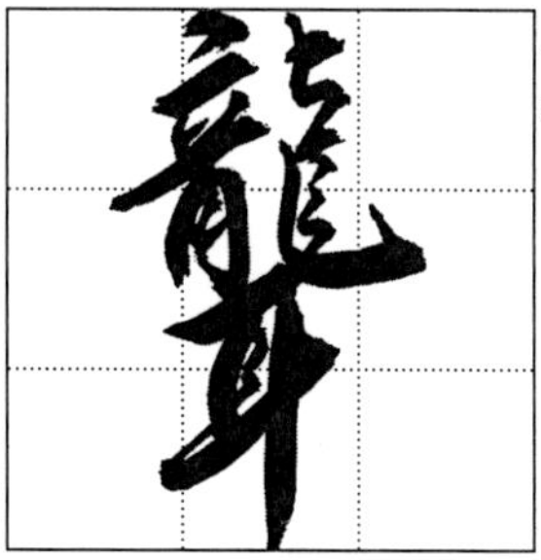
行楷

甲骨文

金文

小篆

行書

甲骨文：左邊是一隻豎起的耳朵，表形，右邊是一條巨大的龍形，表聲，是個形聲字。

金文：由甲骨文演變而來，「龍」與「耳」左右調換，龍的形狀也有改變。

小篆：變成「龍」上「耳」下之形，其義不變。

楷書：由小篆之字形演變而來。

簡化字：「聋」：上部為「龍」的簡化字。

◆古義

《說文》；「聾，無聞也。」即耳內聽道閉塞，聽不到外面的聲音。「釋名」：「聾者，籠也，如在蒙籠之內不可查也。」有如鳥在籠中，外罩黑布，看不見籠外之景物也。「左傳，僖公二十六年」；「耳不聽五聲之和曰聾。」耳朵聽不見五聲之和為「聾」，一則是「耳朵」壞了，聾了，一則是不喜聽好聲，不願聽好言亦為「聾」也！故知「聾」之本義為「耳聾」。「聾」亦有「闇」者，閉塞也，黑暗也，不明事理也。「左傳，宣公十四年」；「鄭昭宋聾。」鄭國光明正大，而宋國卻不明事理。「聾」亦引申比喻人之無知，雖能聽，而形如「聾聵」者也，「饋」者指生下來就聽不見聲音者。「聾昧」指耳雖能聽，但無知，「聾蟲」指無知的動物，「淮南子，說林」；「狂馬不觸本，猘狗不自投於河，雖聾蟲而不自陷，又況人乎？」狂奔的馬不會自撞於樹，發狂的狗不會自己投河，這些無知的動物都懂得不讓自己陷於困境，何況是人呢？

◆今意

先天性有聽障叫「聵」，後天性因病或意外造成的聽障叫「聾」，有些人明明聽得見，卻擅於裝聾作啞，有些人喜歡模仿別人，但自己卻一無所知，有如東施效顰，不倫不類也！有些聾聵者，具有強烈上進心，不斷自我提昇及淬鍊，創造了許多奇蹟，是深深值得我們敬佩的！

小時候常聽長輩說「不啞不聾，不做阿翁」，不解其義，今已做阿翁，方知乃至理名言也！

不論是否是阿翁？選擇性的聽見是消弭許多鬧氣的關鍵！

行楷

金文

小篆

行書

金文：左右都是「隹」字，兩隻相互面對的小鳥，中間是個「言」字，兩隻鳥在說著話，一應一答，是個會意字。

小篆：由金文演變而來，為求字形美觀，左右兩邊的鳥形狀變得相同，但卻不是面對面了。

楷書：由小篆字形轉換而來。仍不失兩「隹」對言之本義。

簡化字：「雠」：「言」用草書的筆法以簡化之。

◆古義

《說文》：「讎，猶讐也。」「讐（音應）」者，以言對也，「段玉裁」注：「讐者，應之俗字。」言相讎對為應。「詩經，大雅，抑」：「無言不讎，無德不報。」每說一句話，都有應答，每一種德行都有回報。故知「讎」之本義為言語的「應答」。由相互應答引申為「相等」。「漢書・霍光傳」：「皆讎有功。」其功勞相等也、相當也。亦引申為「應驗」，「史記，封禪書」：「其方盡，多不讎。」用盡各種方法，都不應驗也，言語相同則有應答，言不和同，則生怨懟，故有「仇怨」之義。「詩經，邶風。谷風」：「不我能慉，反以我為讎。」「慉（音序）」者，養也，愛護也，你不但不愛護我，反而把我當成仇人，「讎」與「儔」同，是指伴侶、配偶。亦與「酬」、「稠」通，「讎」橫寫太寬，亦可豎寫為「讐」。

◆今意

「讎」為「應答」之本義今幾已不用，其引申之「相等」、「相當」、「應驗」等義亦少用之，但卻常用於「仇怨」，「讎」之筆劃太多，幾乎都以「仇」字代替，故「讎」已漸漸少用，「仇」當姓氏時讀音為（求），古之讎柞，即今之酬酢，但不能寫成「仇酢」，「讎校」即「校讎」、「校勘」、正文字章篇之訛誤也！千萬別寫成「仇校」。古人以兩鳥對言之應答表現「和鳴」、「和諧」的意境，幾千年後的我們，更應放下一切「仇恨」，追求人類「和諧」的更高境界！

行楷

金文

小篆

行書

金文：左上方是兩隻豎起的耳朵，耳朵下是雙睜起的大眼，眼下是個「隹」鳥，像個貓頭鷹類的形象，右上方為目，下方為人形，見也，右形左聲，是個會意兼形聲字。

小篆：與金文極為相似，其義亦同。

楷書：由小篆筆法直接轉換而來。

簡化字：「观」：由楷書簡體字簡化而來。

◆古義

《說文》：「觀，諦視也。」諦者，詳細也，視者，觀察也，諦視即仔細觀察之義，「論語，為政」：「視其所以，觀其所由，察其所安。」看一個人，先觀察他所做，再觀察他為何如此做，又觀察他的滿意在何處?故知「觀」之本義為「看」、「觀察」也。如下棋的規矩：「觀棋不語真君子，起手無回大丈夫。」「觀」亦有考鑑之義，「論語，陽貨」：「詩可以興，可以觀。」詩可以提振自己的精神，可以考鑑前人的優缺得失。「觀」亦引申為「出示於人」之義。「前漢，宣帝記」：「觀以珍寶。」將珍寶給人看也！「觀」亦「闕」也，古時宮門前兩側之樓，可供瞭望者也，此時「觀」(音貫)，宮門外是天子張貼告示之處。亦指道士居住之所，如「道觀」、「寺觀」等。

◆今意

「觀」這個字從古到今沒啥大的變化，隨著時代推移，倒是增加了不少新的用語，從表達「意識」的「主觀」、「客觀」到「人生觀」、「世界觀」，再進入哲學領域的「觀念」，深層剖析人的思想意識，包括「主觀」與「客觀」的想法。參觀或遊覽一個國家或地區的政經文化或名勝古蹟稱「觀光」，每個國家或地區都在努力宣傳，爭取觀光客，所以提供觀光客住宿及飲食的「觀光飯店」亦如雨後春筍，因時應運而生！

現在人們比較重視「價值觀」，起心動念，衡事度物皆以反饋回收為先，若少點商業算計，多點無私為善就好啦！

行楷

甲骨文

金文

小篆

行書

甲骨文：中間的上方有一個人，他踩在中間下方那個人的背上，左右兩邊是兩個「木」，代表野外茂盛的森林，因樹木比人高，需踩在他人背上才能摘到果子，是個會意字。

金文：踩在人背上後，人與樹木同高。

小篆：雙木中的人形變成「缶」，「缶」是盛酒的瓦器，中間多了一個祭台，下面是「鬯（音暢）」，「鬯」是祭祀用的酒，原人形變成「彡（音衫）」，是用於祭祀的裝飾物也。較金文與甲骨文複雜。

楷書：由小篆字形轉換而來。

「郁」與「鬱」通，故以「郁」為「鬱」之簡化字。

◆古義

《說文》：「鬱，木叢生者。」林木集聚叢生之貌也。「詩經．秦風．晨風」：「鴥彼晨風，鬱彼北林。」「鴥（音玉）」是疾飛的樣子，「晨風」是種似鷂的猛禽，專喙捕燕、雀、鳩、鶴食之。那疾飛的晨風鳥，飛至林木叢生的北林。故知「鬱」之本義為「林木叢生」「鬱」亦是一種植物，其果實如李子，可食，「詩經．豳風．七月」：「六月食鬱及薁。」「鬱」與「薁（音玉）」之果實如李，即「郁李」。「鬱金」是屬於薑科的植物，古用之浸酒以祭祀，其莖可作染料。「鬱金香」屬百合科，花大而美，有紅、黃、白等色，與「鬱金」不同。「鬱」因茂密而引申為「積滯」、「淤積」等，淤積於胸則謂「憂鬱」、「鬱悶」。

◆今意

「鬱」與「郁」通，均指「茂盛」，「郁郁」是指「盛美」或「香氣」，如「文采郁郁」、「郁郁芬芳」，「鬱鬱」是指「沉悶」或「茂盛」，如「鬱鬱寡歡」、「鬱蔥蔥」，因「鬱」之筆畫太多，在形容心中煩悶不樂時，常以「悒」代替，如「憂悒」、「悒悒」等。古時常以「鬱金香」形容女性美麗，如「唐．沈佺期」：「盧家少婦鬱金香，海燕雙棲玳瑁梁。」今則用牡丹形容，若用「鬱金香」，恐不討歡心或適得其反也！要讓人開心，自己亦勿「鬱結」於心！

國家圖書館出版品預行編目（CIP）資料

漢字古義今意每日一字 . 第六輯 / 曾彬儒著 . -- 新北市 :
普林特印刷有限公司 , 2023.11
面； 公分
ISBN 978-626-98059-0-7(平裝)

1.CST: 中國文字

802.2　　112019462

漢字古義今意 每日一字【第六輯】

作　　者：曾彬儒

總 編 輯：林萬得
美術編輯：林萬得
發 行 人：曾彬儒
地　　址：新竹市武陵路 73 巷 60 號 2 樓
電　　話：0938-077478

出 版 者：普林特印刷有限公司
地　　址：新北市三重區忠孝路二段 38 巷 6 號
電　　話：（02）2984-5807
傳　　真：（02）2989-5849
網　　址：http://www.p1.com.tw

出版日期：2023 年 11 月
定　　價：新台幣 280 元
（如有缺頁、破損、裝訂錯誤，請寄回更換）

ISBN-13：978-626-98059-0-7